FOUR FIFE POET:

FOWER BRIGS TI A KINRIK

Other AUP Poetry Titles

SPEAK TO THE HILLS
an anthology of twentieth century British and
Irish mountain poetry
selected by Hamish Brown and Martyn Berry

POEMS OF THE SCOTTISH HILLS
an anthology
selected by Hamish Brown

TIME GENTLEMEN
Hamish Brown

THE PURE ACCOUNT
poems by *Olive Fraser (1909–1977)*
collected, selected and introduced by Helena M Shire

THE TIMELESS FLOW
Agnes C Carnegie

NOT IN MY OWN LAND
Matthew McDiarmid

A RESURRECTION OF A KIND
Christopher Rush

FOR ALL I KNOW
Ken Morrice

WHEN TRUTH IS KNOWN
Ken Morrice

INGAITHERINS
Alastair Mackie

TOUCHING ROCK
Norman Kreitman

PERSPECTIVES
George Bruce

THE LOW ROAD HAME
Donald Gordon

FOUR FIFE POETS

FOWER BRIGS TI A KINRIK

John Brewster
William Hershaw
Harvey Holton
Tom Hubbard

ABERDEEN UNIVERSITY PRESS

First Published 1988
Aberdeen University Press
A member of the Pergamon Group

The publisher acknowledges subsidy from the Scottish Arts Council towards the publication of this volume.

British Library Cataloguing in Publication Data

Four Fife poets.
  1. Poetry in English. Scottish writers.
  Fife Region writers 1945–. Anthologies
  I. Brewster, John   II. Fower brigs ti a kinrik
  821'.914'080941292

ISBN 0 08 036417 9

Printed in Great Britain
The University Press
Aberdeen

CONTENTS

TOM HUBBARD

SECTION I

JOHN BREWSTER

John Brewster was born in Methil in 1957. His poetry, articles and short stories have appeared in various magazines, journals and anthologies, including *Lallans* and *Scrievins*. A collection entitled *Gloamin-Shot* was published by Scrievins Press in 1987. He is a former Chairman of Fife Writers Group and Editor-in-Chief of *Scrievins*.

JOHN BREWSTER

THE WELLESLEY SPEERIT[1]

Bairns that gaithered bummles i jeely-jaurs
Caaed thaim daft bi shooglin the gless
Or the beasties drapped lik tears
Inti a pillae o pee-the-beds.
Coal did the same: it girned me
In a nairra jaur o air an shoogled dist
I ma buffs or I drapped lik watter
Onti stane. Nae pillae fir me tho,
Fir the bairns wur pit-heid bummers.

Bairns that poued the pegs aff wabsters
Chucked thaim inti the aumers o the fire
Ti tent ti thir bodies crunklin
An leuk til the blue lowe at the en.
Coal did the same: it taen awa ma feet
An gien me a body o bruckle banes
Ti tent ti crunklin doun the rod
Lik mochie fire-lichters. Nae blue lowe fir me tho,
Fir the bairns pished on the aizles.

Bairns that tethered kittlins in a seck
Bunged thaim inti a clerty burn
Ti wauch thaim fecht lik genies
Stapped up in a bottle o pizen.
Coal did the same: it tursed me
I trauchle an laucht as I focht
Lik a wirricow fir sunlicht
On ma face. Nae unmerked grun fir me tho,
Fir the bairns are feard o ghaist-coals.

1 The Wellesley Speerit is the collective unconscious, the *daimon* of Fife's
closed and run-down pits, as voiced through the Wellesley, a closed pit
at Methil. The 'bairns' are bosses, inquisitorial in their naive desire for
effect; the 'I' of the poem is the Speerit speaking as a coallier. The 'ghaist-
coals' in the last line uses the image of coals that burn white, retaining
their shape, to express the mystery of the mining spirit, and its power
as the 'bogle' in the nursery of Monetarism.

3

DENBEATH SIMMER

Twa burns o cluddy reek
Twine thir wey athort the lift
As gif twa fingers wur tracin
Thir pad throu blue-steamed gless.

Ootby the schuil the specials gaither
Lik bairns on a trip, unshair
O thir staps athoot a mither's caa.
Faur abune sweem shuggarie willies.

Stookie Tam heids the core,
Waffin his plester at waps
An the antrin bairn waunderin
Aff i sairch o ploy.

The jowin o the bell breengs thaim roun.
Tam's the furst i line,
Fou o hissel, lauchin at the mongol
Lawdie cuttlin aabody's breist.

In oor line there are nae specials.
Aa oor lot can coont oot cheenge
An pey fir crisps athoot thinkin.
Nane o us wear stookies or callipers.

At leve-time the naitral an
The unnaitral pley thegither.
Joublies, luveherts an rhubaurb rock
Cheenge hauns, an naebody bothers.

Johnny Walker pleys bools i the syver;
Jock Broon fechts the heichmaist bairn;
Hughie Houston races cars doun stairs:
Stookie Tam dunts aabody's heid.

— Bairns aa, huddert ti ilk ither
I the reid-haun snaw forby the disty neuks
O schuil-dykes; rowin i the gress
Fae sheddae owre ti fleckit licht.

4

Bell at end o day sees us hame,
Wi mithers up fir special yins.
Doun the rods o Forth an Tay
The Denbeath river flows ti sea.

I stap aside the Brig an glower,
While waitin on ma faither fae the pit.
He lats me wear his heverseck,
An wi twa fingers straiks ma face i coal.

Daunderin hame, sweyin on ma faither's haun,
I think I'm an injun merked fir waur;
The twa straiks on ma face bleck streams
At-wan wi white burns i the lift.

TI A BAIRN KILLT BI A CAR

I'm no yer faither, son. I've nae bluid-richt
Ti greet ma guts reid-raw. I didnae see
Yer face the day ye got thon pet fir free,
The ane ye saved whan weird spat oot yer licht.
I'm no yer faither, son. The enles sicht
O bairnheid bleedin dry is spared fae me.
I've no ti fauld yer jammies up an dree
The daw, or stare awa the oors o nicht.

I'm no yer faither, son. I dae hae fowk
Jink me i the toun, or fin the heidlines
O yer daith roun chips or makin syvers chock.
I'm juist a makar, son, wha kens nae quine's
Ti feel yer kiss, nae bairn's ti caa ye Paw:
Yet leeve ye wull whane'er ma horn I blaw.

THRIE PORTRIDGES

Jimmy Bryce, Glenrothes

Atween puffs fae a fause-face o blaws, ye'd
Gie aff on Plato an the losin o Atlantis,
The stouns o Shelley an Aldred's steirin screed.
'The day'll cum,' ye'd say, 'whan men'll walk this
Yirth lik weedaes, fou o sorry, restles
Fir the truth that ligs deeper doun.' Auld Brycie,
The warld sair wants yer tousie-heidit prophecy.

Nan Page, Kirkcaldy

I didnae ken ye lang aneuch, Nan, fir
Ti see ye shaw aff shune: the pizen had
Owre ticht a grup. Yer pegs, the Links fowk say, wad
Hae graced a dancer syne; tho the jig thir
Taes drummed hinnerly wis pain. I mynd yer
Buggy, hurled bi Jack, wi Ecky ti yer hert:
Nou hinnysickle wreaths yer stane i wind-waved Dysert.

Pete Haxton, Buckhynd

Drap bi drap the snaw-saft wattercolours
Jaup the caird, pinkin rainbows o Anster,
Crail an auld Buckhynd. Dwinin licht but spurs
The brush on hame, fir there's nae laster
Seein the watter-gaw. Ye've had yer blawthir,
Pete, shorin ti dicht yer cannas clean:
Tho fish-touns faa, yer airt fends aff the ween.

GOWDEN SCREEDS
Fae the French o Gérard de Nerval

Whit! Aathing's ti the fore!   PYTHAGORAS

Maun, free thinker! beleve ye think alane
I this warld whaur life birsts furth in aa?
Yer scouth hes pouer ti yaise the maucht ye awn,
But fae yer redes the universe is gane.

Respeck i the beste a steirin mine:
Ilka flooer ti Naitur is a blawn sowl;
A mysterie o luve sleeps i mettall;
'Aathing's ti the fore!' An aa hes pouer owre yersel.

Dreid a glint wauchin ye i the blin wa:
A Wird e'en ti maitter is linkit . . .
Dinnae mak it ser some ungudely use!

Aften i the dern being bydes a hiddlie Guid;
An lik an ee borne happit bi its winkers,
A pure speerit growes aneath the fell o stanes!

THE BLUE FLOOER[1]

Joseph Granié: The Kiss 1900

Blinkers furred i stoun,
Rinnin loof an runt throu bents
O mou-frauchty gliff.

Léon Fredéric: The Lake — The Sleeping Water 1897-8

Lillies o drunk bairns
Scrufft owre a loch o dreamin;
Mithered bi saft swans.

Lucien Lévy-Dhurmer: Silence 1895

Huidit dame o quait,
Haudin i her finger-fork
The glunt o seelence.

Edgar Maxence: Spirit Of The Forest 1898

The reek o speerit
Spinners fae a chalice-gove:
Wuid-rings o angels.

Gustave Moreau: The Dead Poet Borne By A Centaur 1870

Hauf-man, hauf-cuddie,
Bearin the gree o lament
Fir makars ti awn.

Jean Delville: Orpheus 1893

The heid o maisic
Dirlin ti the swaw o daith
An burth; wird an thirl.

JOHN BREWSTER

Fernand Khnopff: I Lock The Door Upon Myself 1891

A mountain burn o
Braken-sowled desire an glower;
Faemin saicret leuks.

John Singer Sargent. Astarte 1892

Flee's eefu o sin,
Hinnykamed wi swirds o swirl,
Stoodit wi berries.

Arnold Böcklin: The Island Of The Dead 1880

A white pellar o
Retour inters the tempiled
Isle o bleck walcome.

Frank Kupka: The Soul Of The Lotus 1898

Thrie mullers scartit
On the lotus-pound o dwam,
Beckonin the pad.

Victor Borissov-Mussatov: The Sleep Of The Gods 1903

Fae the mysterie
O a clud-winged merble hoose
Twa quines yammer peace.

Gustav Klimt: Music II 1898

Lassie spreids her hair
Ti the lyre o airt-langin;
Sang-veins o the sphinx.

1 The title of this poem comes from the German poet Novalis, who created
the Blue Flower as the symbol of romantic longing. Drawing on twelve
Symbolist paintings, I have sought to express the longings these works
have nurtured in me.

STAIT O THE AIRT

Glescae clarkin — a screed-shaggin stag?
Embro quair — a primpie's lacquer?
Whan aa the ersin aboot's owre wi —
A! Makar maun faither makar!

PROMETHEUS

Fae the German o Johann Wolfgang Von Goethe

Hap yer heaven, Zeus,
Wi cluddy reek
An practisse yer pouer,
Lik a loon beheidin thrissels,
On aiks an muntain taps;
Still, ye maun lat
Ma yirth staun
An ma hut, whilk ye didnae big,
An ma chimley,
Whase greeshoch
Ye invy me.

I dinnae ken onythin mair sairie
Ablow the sun nor ye, guids!
Scrimpitly ye feed
Yer majesty
On stents o sacrifice
An braith o prayer
An wad sterve, gif
Bairns an orra-fowk wurnae
Howpfu gowks.

JOHN BREWSTER

Aince tae a bairn,
No kennin whaur ti tirn,
I heezed dumfounert een
Towarts the sun, as gif abune there wur
A lug ti tent ma dirgie,
A hert lik mine,
Ti tak peetie on me i ma taigles.

Wha helped me
Agin the pauchtie Titans?
Wha lowsed me fae daith,
Fae thirldom?
Halie leamin hert,
Did ye no get roun aa this yersel?
An did ye no, young an ill-less,
Begunked, skinkle thankfulness
Fir yer safity ti the sleeper abune?

I honour ye? Whit fir?
Hiv ye iver smuithed ma pains
Whan I wis dounhauden?
Hiv ye iver dried ma tears
Whan I wis frichtened?
Wis it no almichty time
That forged me inti a man,
An eternal weird,
Ma maisters an yours?

Did ye jalouse
That I wad hate life,
Flee inti the wulderness,
Cause aa
Ma flooery dreams didnae set?

Here I sait, makin men
I ma eemage,
A strind ti tak aff me,
Ti thole, ti greet,
Ti injoys an ti be gled,
An no ti tak tent o ye,
Lik me!

ON THE BLINDIN O DAPHNIS

The thrissel-doun o luve caucht i yer locks;
Peen-heids o siller souchs blawn bi saft lips
Wat wi braithles ure. An than a silken slip
O cramasie desire — at furst a cock
Kame reid — or keist gies wey ti nakit shock
O sweek, an venim-bluid yer veesion sips.
Nae gowden braes o Sicily; nae ships
Ableeze wi sang at nicht: juist Guid-gien pox.

This wis yer weird, fair Daphnis, ti hae een
Fir mair nor chawed wuid-nymph. Ye suid hae kent
A princess caaed Chimaera wad spell trauchle:
Made ye blin, an warse, a makar-bauchle:
Or sae they say, the fowk wha fushed ye spent.
They cuidnae see ye'd sung the meedies green.

THE HANGIT MAN

Fae the German o Stefan George

The Speir
Ye wham I cut doun fae the widdie, will ye
speke ti me?

The Hangit Man
Whan amangst the sweers an the skraiks
O the hail toun I wis harled ti the yetts,
I saw — in ilka man wha bunged a stane at me,
Whase hauns wur on his hurkles fou o geck,
Wha wi glowerin een pyntit his finger at me
Owre the shouder o the man afore —
I saw ane o ma crimes wis latent in ilk,
Anly mair nairra or hained bi dreid.
Whan I cam ti the place o executioun an the
High heidyins shawed baith scunner an peetie
Fir me i thir dour faces, I wis muived ti lauchter:
'Dae ye no ken hou sair ye need the puir sinner?'
Vertue — agin whilk I had offenit —
On thir faces, an the faces o honest wifes
An quines, houever suithfast it may be,
Can anly sheen as it dis gin I sin as I dae!
Whan they pit ma crag inti the fank
Ma ill-intents shawed me ma future gree:
I the yirdit man will inter as a conquerrer
Inti yer harns . . . an I will be steirin i yer
Seed as a kemp aboot wham sangs are liltit,
As a guid . . . an afore it'd dawnd on ye
I sal bou this stieve beme roun inti a wheel.

IMAGICK[1]

Water is a wet flame ...
      plants are dead stones ...
            every line is the axis of a world ...
NOVALIS

Wha kens the quine whase flauchts are sae streamoury
I lamar that a sun-broch skimmers
Abune her emerant een? Whase lie-by
Is she, this guess o saunt an limmer?
Mulk an hinny-draps fae Friesian simmers
Spreckle her pairtit lips; halie berry-wine
Purples her maumie breists — wha kens this quine?

Wha kens the loon whase sangs are sae dern i
Thir lytach that anly a staunin-stane
Dirls ti thir lilt? Whase luve roused his hert ti
Cant, this laddie wi the thrabbin sairpent-bane?
Man-broued abune an ablow, whaur the lane
O veesion spinners; incaaed bi the rune
O seeven happit een — wha kens this loon?

Wha kens the spring-heid whase oot-poorins are
Sae auncient that anly the leirichie-
Larachies o haets let dab its ruits? Whase car
An richt are eikit bi kythin's saicret ties?
Akhenaton kent its greeshoch, an whan fie,
Sae did Christ; the Pechtish Magi's mither-leid
Wis borne fae this — wha kens this spring-heid?

---

1 This poem is oracular in form. It was originally written to follow the
pattern of a Pictish symbol, as a verbal mandala, *kundalini* in verse.

JOHN BREWSTER

THE WEMYSS CAVES

The Michael Cave

Aince hairts wur circled
An staur-keeper's ringed i stane:
Nou coal girds thaim baith.

The Gless Cave

No waas o kirstal
Blae fae a snaw-quene's kiss; mair
Lik skelfs o gless braith.

The Coort Cave

Fir coortin aye, sae
Tales say, wi Jamie[1] rakin
The ghaist-coals o quines.

The Doo Cave

Fir auld cushey doos
Odin, Thor an Freya hecht
Wings i Valhalla.

The Well Cave

Mither o the spout,
Nuris o hale ti East Wemyss
On Hansel Mondays.[2]

The Gaswarks Cave

Fund bi gas-davies
Ye gien aff the guff o life:
Fousty blaws o corn.

The Unnamed Cave

Forleten luve-bairn,
Yer faither's the Firth o Forth;
Yer mither's hured Fife.

Jonathan's Cave

A howff fir mermen
Aiblins, wi hewn tridents runes
Fae an auncient leid.

The Slopin Cave

Ice-dirk i the ee
O a prood murlin giann;
Snaw-blindit Cyclops.

The White Cove

Schuil bairns tell o dern
Cundy ti Kennoway den;
Gate fir fairy-rades.

1 King James V.
2 Festival custom held on the first Monday after the 11th of January.

THE BARBAR O METHIL

Aye on daurk nichts
I wis sent fir a baldie;
I mynd the jurnay weill.
Throu Memorial Park
Wi its trees lik hauns o glore
Staved in a fower-weys' eerie snaw;
Past the liberary's wappin Xmas tree —
A chaft o squeebs ablow gless —
Ti the toyless windae
O Niven the barbar.

The shop wis aye the smell
O hair-ile an drams:
Wuid matured on thae was.
I'd sit at the end o a lang binch,
Droosy fae pipe-reek
An the draw o the waggity-wa.
Anly the mysterie
O five o'clock sheddae,
Styptic pensils an rubber johnnies
Kept me sober.

Hinnerly I'd wan ti ma dell;
A bleck-breisted stove, aa rid-moued
An glaizie fae the pautin o cley-davies.
Afore its ingle had slaiked ma hauns
The wird wis oot: 'Nixt!'

I'd wauch i winder the wey
Niven wad faik me in lik a babby,
His epileptic tongue o aise
Aye lollin owre ma lugs,
The shears i his tap-pooch
Glowerin lik a stuffed houlit
As he combed doun ma hair.

I'd aince heard he'd pleyed
Fir East Fife i thir days o glore;
Nou the anly bas kickin roun his feet
Wur aff the heids o bauchles an bairns.

17

I wisnae auld aneuch ti crack o fitba,
Cuddies or ma wark;
I'd juist sit an chitter
As the razzor scraped ma nek.

Whan he wis near feenished, he'd ask me:
'Dae ye want a shed i yer hair?'
An dae it afore I'd time ti say aye or no,
Touslin ma heid i brylcreem.

I'd sclim aff thon lether chair o his,
A pund lichter i the heid,
An wauch him coont oot ma cheenge
Atween puffs on his fag.
This wis whit I wis waitin fir.
He'd leuk at me an say:
'Are ye wantin ony comics?'
An pou bak a blue plastick curtain
Ti shaw an Aladdin's cave o Beanos an Toppers.
'Tak whit ye want,' he'd say,
An I wad, haudin thaim ti ma coat
Lik stolen jowels.

Afore I wis oot the door inti the snaw
He'd say: 'Mynd yer lugs'll stick oot
Lik Clerk Gable!' an I'd lauch
Athoot kennin whit fir.   ·

Aa the wey bak up Memorial Road
I'd feel ma heid get crumpie
Lik the tappin o a burthday cake,
An ma lugs thrabbin wi the cauld.
Anly whan I got i the hoose
An sat doun fir ma biled egg tea
Did ma heid stap dirlin fae
The comic cuts o thon Barbar o Methil.

LAMENT O A LERGAE LAUD

Mony lassies I wad fawn,
On the links o Lundie saun,
Lichtin munes aneath ma haun,
Whan I wis green i Lergae.

Ane had locks o coral rid,
Wore the fume o saundalwuid,
Shawed me whit the Romans did,
Whan I wis green i Lergae.

Anither smelt o saut sea,
Lips wad fame wi luver's bree;
Mither barred the door fae me,
Whan I wis green i Lergae.

Yet wan mair had gipsy een,
Hair sae thick wi corby sheen,
Telt ma fortoun wi a peen,
Whan I wis green i Lergae.

Said, 'Ye'll lie wi lassie braw,
Ken the sun an ken the snaw,
But ye'll shear mair nor ye saw.'
Whan I wis green i Lergae.

Lassie cam doun fae the Neuk,
Had thon smirlin bairn-leuk:
'I'm the fush that brak yer heuk.'
Whan I wis green i Lergae.

'Mairry me or face ma dey,
Hauf his clan drank bluid in Skye,
Whan he says "Ye're fie", ye're fie,'
Whan I wis green i Lergae.

Wi the venim in her leid,
Bairn wis cairried oot stane-deed;
She wad gear: I lost the heid,
Whan I wis green i Lergae.

19

She thocht, nae doot, as a quine,
That lauds luve lik drinkin wine, —
Aa nicht-rantin an daw-dwine, —
Whan I wis green i Lergae.

But I luved thon ill-less bairn,
Thinned owre quick fae Heaven's gairn;
Lergae Law nou wears his cairn,
Whan I wis green i Lergae.

Ither lassies kent ma feel,
Throu the years I soucht ti heal: —
Ticks o pleesure, oors o beal, —
Whan I wis green i Lergae.

Aye, they wur ebb days o glore,
Nou gray Daith hings roun ma door: —
Guid, I'm richt fir ma laud's core, —
Aneath the green o Lergae.

JOHN BREWSTER

THE COVES O CRAIL

Fae the Inglis o a Victorian brither-Scot, William Sharp

The mune-white watters wash an leap,
The daurk rin fludes the Coves o Crail;
Soond, soond he ligs i dreamles sleep,
Nir tents the sea-win bale.

The gash gowd o his glaury locks
Dis hither drift an yonner waif;
His spirlie hauns jap gin the rocks,
His white lips naethin craif.

Afaur awa she lauchs an sings —
A sang he luved, a wild sea-thrain —
O hou the mermen wab thir rings
Apon the skerr-set main.

Soond, soond he ligs i dreamles sleep,
Nir tents the sea-win bale,
Tho wi the rin his white hauns creep
Amids the Coves o Crail.

THE SAICONT COMIN

Aince afore ye cam inti this warld,
Wi prayers yer saundals an luve yer staff:
Gin anly fowk cuid tent ye whittlin,
An souterin auld shune wi a gaff!

THE PASSIN THOCHTS O THOTH[1]

Doun bi the watters o the Nile
Saits Thoth, his ibis-heid follaein the fire-flauchts
That licht the purpie lift o Egypt.
He taks his pen i his haun,
Ti scrieve his hinmaist thochts,
Whan suddent-like an awesome duntin
Fulls his lugs, an shaks his lunar disc.
Aside him sprauchles the muckle Sphinx.

'I hear ye've gien up the ghaist on man:
Whit fir? I thocht ye had him sized up braw.'

Thoth rins his een lik a poussie's jaggy tongue
Owre the saft skin o the Sphinx's speir.

'Man? Gien up the ghaist, ye say?
There's nae warth ti thaim, thon canally
Sae keen ti mutiny. I'd raither hae
The locusts fir ma kin.'

'But Thoth,' the Sphinx reflecks, 'man biggit me,
Tho gien a heeze bi saicret weys e'en nou i dwine.
Still, nae sae bad fir thrabbin flesh.'

'I've gien the man aa that he wants:
Airt, maisic, science o the nummers kent an unkent;
Staurs an thir magick weys — an scrievin . . . '

'Aye, scrievin,' muses Sphinx. 'Nou there's an uplift
Fir ye. Naebody wad mynd ye an yer fests athoot
The scribes ye made.'

---

1 This poem alludes to a mention in Plato's *Phaedrus* of a meeting between
Thoth and King Thamus. Thoth is astonished to hear that the King
views writing as a degeneration of the great oral tradition. It is worth
considering the Ancient view of writing before dismissing this idea;
especially the fact that Christ and Buddha saw no need for any written
records, and the significance of the many ransacked libraries of antiquity.
Books burn more easily than people.

Thoth tirns awa, an dichts his flee-rinkt neb.
'Lat me be. I'm seeck o pittin mairvels
I the hauns o bestes. I'm fir hame,
The clud-gressed skelfs o lift whaur suns
Can moup, whaur Isis hes on mornin-soup fir me.'

The saundy mud that breeks the Nile
Is plaitit siller bi the mune.
The Sphinx is quait nou; she's seen
This dour face leuk afore,
But on the traivellers forenent her stany glower.
Nae fir guids this greetin mou an hingin jaw.

'Whit ails ye, Thoth?
Ye're leukin lik a bairn that's poued
The pairty table-claith an skailt the jeely.'

'I'm gaein hame,' says Thoth,
'Ti be wi guids wha feel ma dream.'

'Sae ye've said,' says Sphinx, 'but why
The face lik daith?'

'Cause,' manes Thoth, 'I luve this lan o mine,
Its kinriks an its mysteries.
The corn the puir fowk chow is juist
Sae mich o me as ony Pharaoh's mait.
But mair, I leave wi sorry i ma hert,
Still dirlin fae the coort o King Thamus.'

'Whitever fir?' asks Sphinxie, een as wide
As leuks on honey-month. 'Whit yirthly king
Cuid mak the "thrice great" Thoth sae dreich?'

'He heard me name ma skeils an warks,
An walcomed aa ma grace,
But than he yankt oot scrievin skeil
Lik neb-hairs fae ma face.
"Ye brocht this warld the wraitten wird,
An say that ye've dune weill?
I curse the day the scrievin cam —
Nou myndin's a lost skeil . . . " '

'But,' compleens Sphinx, 'wir scribes, wir makars;
Whaur wad we be athoot the wraitten wird?'

An Thoth is no fir awnswerin,
But raither wi his ibis-heid
Follaes wan mair fire-flaucht hame
Ti bed, an sleeps his greetin reid.

JOHN BREWSTER

TWA SONNETS ON NEWBATTLE ABBEY

If God could make Himself man, He could also
make Himself stone, plant, animal or element.
Perhaps there is a continuous salvation in nature.
NOVALIS

'The dorbie scrieves his musardrie i stane,
Jynin aa the rhyme o cley ti lilt o saun,
His ee-line taen fae easins i the haun,
The lift his haimmer, swaw his furmer-rane . . . '
— Thae Abbey sangs o aislerwark are gane,
Nae mair ti dinnle roun the bauks, ti waun
The mornin's locks. Nou aa that makars maun
Is a crambo-clink o veem i this sowl-hane.

Nou tempil pend-stanes dirl ti playgrun tales,
O ghaistly monks whase chants cum throu the flair,
As dour cauld watter men lik drunken bairns
Snowk gree's laureate tits — graipin fir the gales
Fae musie's mulk. Yet airt hes a deeper lair,
An aulder mither-leid — the dreams o cairns!

The Abbey wuids spreid thir fankled skirts afore
Me, tycein me ti inter; fou o daurk hicht.
Lik a luve-seeck loon beglaumered bi the sicht
O sheenin hurkles an fleeshy bore,
I succumb ti naitur's keest. Brainches pore
Throu the dag lik fangs clautin at the licht;
Ruitin i the lift: caain fir the Picht
I me ti seal ma bluid-melt ti this dern glore.

Bi the brae-hag o a burn thochts o ither
Trysts spirit me wi veesions o fey cantrips
An auncient langins. Fae the emerant
Flauchts o trees a skimmer o gowden sails hant
The halta dance, driftin hame athoot a rither —
A thousan tears wattin ma Faustian lips!

25

NIT SEEKERS

Fae the French o Arthur Rimbaud

Whan the bairn's brou, fou o rid torters,
Begs fir the white thrang o drumly dreams,
Near his bed cum twa lang lousome sisters
Wi brashy fingers an nails o argentine.

They sit the bairn afore a wide open
Windae whaur the blue air douks a jummle o flooers,
An throu his lourdy locks which the dew faas on
Rin thir glamourous, spirlie, eldritch fingers.

He tents ti thir timorsome braith liltin,
Smellin o slaw, rosie plant hinnie,
An taigled whyles bi a souchin, spittin
Drawn bak on the lip or the crave fir kissies.

He hears thir daurk winkers lickin ablow
The fumed quait; an thir canny electrick hauns
Mak i his tozy sweirtie the daith o
The wee nits aneath thir royal finger-horns.

Syne the graips o Slouth maise i him,
A mouthie's souch that micht set at deleeritness;
The bairn feels, cordin ti the dreichness o the dautins,
Jowin i him an deein aye a greenin ti greet.

TI MACDIARMID

Gowpinfu o aathin, they mak oot 'Airt
Is sauf wi'in oor hauns', an 'No ti fyke,
We ken aboot the Scots'. But siller bykes
Aroun the hinny-pat o gree, an hairt
Is stecht wi 'eemage' lik a clachan mairt.
The Scots they want is vaudeville 'Fit like?',
An no the rair o passioun gin the herbour-dyke.
They're no fir pittin cuddies afore cairts.

Yet auld yin, I'm shair ye've had a thrawn lauch
At thir tuithy quairs, that feed on yer mynd
Lik nits i the erse-hairs o posteritie.
Thir waikness is thir joukin o yer mauch:
They fesh up thir 'Scottish poets' still hauf-blind;
Ye unbound the een o makars ti scrieve free.

MUSINS BI THE BLECK STANE[1]

QUEN ALYSANDYR OURE KYNG WES DEDE,
THAT SCOTLAND LED IN LUIVE AND LE,
AWAY WES SONCE OF ALE AND BREDE,
OF WYNE AND WAX, OF GAMYN AND GLE;
OURE GOLD WES CHANGED INTO LEDE.
CRYST! BORN INTO VIRGYNYTE
SUCCOUR SCOTLAND AND REMEDE,
THAT STAD IS IN PERPLEXYTE.

Andrew Wyntoun

I

I mynd fae schuil I windered hou ye fell;
A gressy skite, a shaman's shakin bane:
Aa I saw wis the blaw o cuddy's snork,
An gowden bluid seipin owre a bleck stane.

Thon wis syne. Nou bi this gray moniment
I sit, the simmer faain wi the licht;
Aiblins yon sheddaed stane wis fae the Auld
Queen. Fiftene pun! Aye, Shylock wis owre ticht.

Och Alexander, whit mak ye of this
Dour lan whaur stanes are raised ti aabody's pairt,
Forby thon auldest stane o aa, rowed bi
Invaders, yirdin a Nation's duntin hairt?

Whit pouer cuid shift thon apathie o
Sowl? No aa thae glaikit scrunts fae Bannockburns
Wi thir suits o ministry — thae peelie-
Wallie craturs — selks, clappin thir ain turns.

I wadnae vot fir men sae thick wi semmits
An shune sae clean — I wadnae vot at aa!
'Democratic right?' A wheen o blethers:
Ti fairmers mair lan, ti scarecraws mair stra.

Whaur's the man lik ye wha'd grip the thrisselheid?
Wha'd spreid it i the scratchers o Pan Loaf Hures
Ti hash thir hochmagandy; ti prick thon
Creepin glit o Saxs wi thorns fae Scottish flooers?

JOHN BREWSTER

Whaur's the man lik ye wha'd reenge the lan fir
Spaes, the benmaist corrieneuchins o cairns?
Wha'd speke his mynd fae auld philosophies,
O runes sun-bestreik, the bluid-licht o bairns?

II

A cauld haar's cumin aff the watter,
An a coorse win's pickin up. Wabbit ghaists
Wad hae ti sain yer mynd ti howff this daiss –
A mynd shorne o the stanes speendrift waists.

O aa thae speerits spalterin the links,
The ane wha'd skirl abune the lashin swaw
Wad be Yolande, yer green bride, mairrit aince
Ti belly-rives; nou fastin wi the craw.

A Nation's weird jowed bi a lassie's greet —
Aye thon! Ilka sab the wrackin o
Anither howp, anither braith o life:
Gin anly Guid had caaed yer cuddy ti wo!

Gloamin-oor. Throu the drow ile-rigs skinkle
Lik jowels happit roun a lyke; threids o licht
Warmin Kinghorn's hodden gray. Monticelli's
Aizle-wuids aince thirled me lik this sicht.

Och Alexander, ye wadnae ken this
Lan nou. The furnas o the brunties hes
Lang peetered oot; tho rakin owre the aise
High heidyins spae the ingle niver wis:

'Weill, no warth the progin.' I'll tell ye this,
Thae buggers are lik resurrectors wha'd yaise
The Crem; lowse pizzels at a sapsy gilravage:
Thir pooches fou o hard-wroucht fowks' bane-aise,

Thir erses ticht whan aa the guid fowk mell.
Aa erse an pooches — aye thon's the tirran's leuk.
Whit aa thae souks ti weird hae yet ti figur
Oot, is Scotlan's bluid's the ink i Peter's Buik!

29

III

How mony nichts I've daundered bi the shores
O Fife, pensefu i the mirk, anly cheered
Bi staurs whase blinks micht be fae ice-kissed een,
Gudged o aa thir fire; blin ti ithers' weird —

The Sphinx's saun-screenged glower; the humlock-
Tozy Greeks; the ane wha sat aneath a tree,
The ane wha hangit fae it — ti jyne thon
Weird-fu kin hes broucht this lan a halla gree.

The trailin o a wing wi Guids an Naitur;
An auld strind's mairtered flicht fae souchin glen
An meadie-swey — ti whit? The giltit cage
O Union locked bi tongues o yirden men:

Sleekit luve-bairns o a benmaist traison!
The lang oor jows an brings me bak ti stane,
Ti this gray moniment whase need I've gret
Owre, whase peth I've trauchled ti alane:

Weill, no i speerit. Fir lang ahint me
Mairch the ghaists o gowden days, whan trees wur
Fir hausin an burns wur fir incaains —
Whan makars an sodgers hailsit Alexander,

Celtic King! Mony wad tell ye I live
I the past, anly fit ti sclim this brae
An shak ma rung at the dwinin licht:
Aiblins they're richt — but this ma sowl can spae —

The day's no faur aff whan een will smile
Aince mair at heather-fuited bens happit
Bi the standarts o hamecumin, redd o
Fremmit weys — fou o wyce fowk speerit-tappit!

---

1   The site in Kinghorn where the monument to Alexander III, the last of
Scotland's Celtic Kings, was erected. His tragic death ended a Golden
Age in Scottish history, with an outward 'dimming' of the Celtic light.

LORD FIR ME: IN MYND O PARAMAHANSA YOGANANDA

Lord, fir me
Ye're a meltie-bow
Scartit on the club o ma hert.
Ye stap me hairmin ma herd o guid dedes.

Lord fir me   Lord fir me

Lord, fir me
Ye're an infar cake
Braken owre the heid o ma mynd.
Ye goam me crossin ma dorr o reburth.

Lord fir me   Lord fir me

Lord, fir me
Ye're a furligig
Birlin i the haun o ma sowl.
Ye heeze me dirlin ma stick o fower sels.

Lord fir me   Lord fir me

Lord, fir me
Ye're a rigadoon
Skippin on the gress o ma luve.
Ye skole me waddin ma bride o greement.

Lord fir me   Lord fir me

Lord, fir me
Ye're a knockin-mell
Huillin the barlie o ma thochts.
Ye guide me bleachin ma harn o scairy.

Lord fir me   Lord fir me

Lord, fir me
Ye're a venterer
Screengin the links o ma jo.
Ye halse me blawin ma shell o speerit.

Lord fir me   Lord fir me

31

THE SEEVEN WINDERS O
THE AUNCIENT WARLD

The Pyramids o Egypt

Isis doverin,
Mulk breists hingin oot her sark;
Nuris ti the Nile.

The Hingin Gairdens o Babylon

Emerant perlins;
Ishtar's clud-hemmed petticoats:
Forrests o shewed staurs.

The Statue o the guid Zeus at Olympia

Ivorie etin,
Een glentin wi fire-flaucht gaffs;
Bairn o Pheidias.

The Tempil o the guiddess Diana at Ephesus

Mune-tappit pellars,
Erectiouns ti the daurk may
Auld stags win efter.

The Tomb o Mausolus at Halicarnassus

Artemisia,
Hert-sair fae a quene's greetin,
Incaas luve i stane.

JOHN BREWSTER

The Colossus o Rhodes

Blae-mantilled sun-guid
Glowerin owre a hine's lan-tide;
Guidin staur o bronse.

The Lichthoose o Pharos at Alexandria

Ward-fire hoverin
Throu a snell gust o speendrift:
The greeshoch o hame.

THE DROICH

Fae the French o Aloysius Bertrand

— Ye, on cuddybak?
— Weill, whit fir no? I've gallopt sae aften
On the Laird o Linlithgow's greyhoun!
                    SCOTTISH BALLANT

Saittin up, I'd caucht i the sheddae o ma drapes this
Datchie buttery, cleckit fae munelicht or a drap o dew.

The thrabbin moch whilk, ti free its fankled wings
O ma fingers, peyd me a ransom o fume!

Suddent-like the waffie wee beste flew awa, leavin i
Ma lap, — O uggin! — a grugous an camshach mauk wi a
Human heid!

— 'Whaur's yer sowl that I may ride it! — Ma sowl,
That naig happity fae labours o the day, is liggin nou
On the gowden strae-bed o dreams.'

An fir fricht ma sowl jouked throu the blae speeder's wab
O gloamin, owre daurk easins nicked wi daurk Gothic bell-hooses.

But the droich, hingin on ti its nickerin flicht, rowed hissel
Lik a spinnie i the tap-fus o its white mane.

THE DWYNE O AULD BUCKHYND

I glower at a photae o ma grandfaither,
Taen afore the dwyne.
Sleeves rowed up, bannet sklint,
He grups his cuddie wi a luvin, warkin haun.
The smirk on his face hes owre mony lines fir jo,
But he's kent the caum o the frait-cairt
Alsweill as the rouch o the sea-coal.

I glower sae lang at his photae that his lips muive:
'Jock, whit hae they dune ti auld Buckhynd?
Whaur's the glore o the bing,
The jaw-banes an the herbour-wa?
Whaur's the bairns that kent hame soup,
That wur aye deein ti gie ma cuddie a carrit
An a shuggar lump?'

I tirn ti the windae ti see a bairn
Wi anly a semmit on pish doun paunsy plantins,
Deed ti his dobbie o a mither's skraich.
He's leukin fir a faither i the syle
Lik the lave o 'scheme-laund's' bairns.

'Jock,' manes grandfaither, 'tell me
Whit went wrang? Buckhynd wis aince
A plaice o hameward pride, no "mairketit"
Ti fit the modren ill o human waist.'
An I tak his wirds i ma heid an birl thaim roun,
Or a tale o auld Buckhynd flees oot:—
O the lawdies wha fund a mine on the saun,
An thocht the pey o scrap wad lichten thir lade, —
Or thir dreams flistit in a gilravage o bluid.
An ma grandfaither sings fae his snap:
'They fund a heid, an airm or twa,
An flanks o cuddies braw; —
Wha'd think a fish-toun lik Buckhynd
Wad kest its weird awa?'

I pit ma dey's snap doun
An wauch a 'coort official' fae the Toun
Leukin fir a wey oot o this glory-hole.
I pou the windae up an skraich ma thochts:
'Lassie gruppit wi the social-warkin goal;
Whaur's yer cuddie an yer prood cairt o sea-coal?'

JOHN BREWSTER

THE FLY FIFER

Transcreatit fae the remainin nirls o the Norwegian scientist Bairn Tamjockson's not-buik, as recuvert fae his laist throu-pit

' . . . Nou, here's ma threap:
Gif Darwin had taen a left tirn
An launded i Fife raither nor the isles o Galapagos,
The Theorie o Evolution wad hae been
Gey different fae whit it is nou . . .
. . . Fife? ye say, as gif a bing
In Ooter Mongolia wad mak mair mense.
Aye, Fife. Nou I propone ti shaw
Hou aa thon stushie owre burds' nebs an denners
An a pickle banes wis nae guid athoot
Whit we academics caa "the missin link";
The legendary brig ti humanity fae the aipes . . .
. . . Whaur Fife fits in is this:
Wi ma new throu-pit I am peecin thegither
Aneuch pruif o sicca beste i Fife as ti tirn
Darwin's dootsome theorie tapsilteerie . . .
. . . This beste, i ma mynd, is nae ither nor
The missin link, ti whilk I hae gien the scientific name
Fifus Cannicouthiflyus:
I short, the Fly Fifer . . . '

' . . . Twa dern bits of vizzy guided me ti Fife.
The furst wis fae the owresettin o an auncient Sumerian
Initiation ceremonie writ, i particlar, this vers:
" . . . sae be it, that he wha seeks the banes maun seek the fell;
That he wha seeks the fell maun seek the harns;
That he wha seeks the harns maun seek
Onythin but the Beste o Fif . . . " Forby, thrie laster lines
Wur o force: " . . . fir it is said that the Beste
O Fif has een that jyne thegither,
An a lauch lik the fartin o a jackal . . . "
The saicont meith wis fae wan o the mony hymns
Ti Horus. This wan, dated aroun 540 B.C., wis heard ti say:
" . . . Hailse o Thou Licht fae the Deep,
Witness ti the Dour-poocht Fif . . . "
This saicont mentioun sustained ma misdoots,

37

Fir an auld threap fae the kinrik o Fife
Says that the Beste o Fif aince gien Guid
A len an niver got it bak,
An Guid cursed its greetin dourness bi soukin
Its face inti the bak o its nek . . . '

' . . . Bein i Fife nou, i sairch o the beste,
Hes brocht me ti the hert o the maitter.
Clatters o cannibalism i the Wast hes frichtened
Awa maist o ma pairty, but I'm bentset
Ti airt oot a leevin community,
Aince an fir aa fettlin the age-auld
Argie-bargie o the kin's etion . . .
. . . Nae time fir theorisin nou. I've been left
In a haunted bit o grun caaed Kenno Way,
Nae doot named eftir some ugsome deity . . . '

' . . . Twa days hae passed. I'm in a muckle clachan
Rinkt bi tempils bockin oot smeek,
Whaur fremmit bestes cairry oot steamin gifts fae the guids . . .
. . . *I hae fund the Beste of Fif!*
Wan hes been stentit as ma guide. He taks a
Byordinar intrest i ma smile, as gif it's taboo . . .
. . . I'm bein taen ti see ane o the elder bestes, caaed,
I whit soonds lik bracken Arabic, a "coo-nci-llor".
This cooncillor is teepical o the beste's clattered
Particularities. It is dumfounerin ti see
The Fif hauf-liddit een leuk —
"Lik hures smilin throu fag-reek" — cordin ti Von Müller.
The drinkin o the cooncillor beste is stentless, I am tellt, —
"Ti wash awa the sins o the forefowk, or as mony
As they can coont up ti" — an it is ferlie
Hou aa the cooncillor's kin byde aside him . . .
. . . Things hae cheenged swythe. I'm bein taen ti see
The King Fif himsel. Seems that I fit thir tradition
O a veesitin fair-avised guid, cordin ti
The Phoenician-lik scartins on an auld tempil taiblet . . . '

Hinmaist ingang: ' . . . Hou did I no ken?
Ma theorie, O Guid lat these wirds win throu,
Ma theorie is richt, but I didnae jalouse this —
The Beste o Fif is the missin link richt aneuch,
But fae man ti aipe! We're aa wrang! Aipes are mutant men! . . .

38

... O Guid, thir ceremonie begins ... I maun becam
    wan o thaim! ...
    ... Abune thon pend-stane hings ma weird ...
"Ye wha inter the kirk o the beste,
Ye sal wear a halo o flys ... "

GLOAMIN-SHOT

Ti staun atween the day-sky an the nicht,
Yer sleeves rowed up, peece-box fou o crums,
An wauch the drift o reek fae bleckened lums
Hing lik steamer smeek i the hauf-licht:
Ti gie yer sweety brou an ily dicht,
Afore the graith sets ti its dreided mums,
An caas yer neebors in lik wabbit fums;
An syne yersel, yer musins faur fae sicht.

Tie hae thon gloamin-shot, an see abune
Yer darg a poetrie o life that warks
As weill, an disnae dream aa day i parks;
That hes a tred ahint it an a skeil:
Aye, thon's it — the guess that blawflums cannae feel —
The mair ye wark wi ithers, the mair ye wark alane.

SECTION II

WILLIAM HERSHAW

William Hershaw was born in Newport on Tay in 1957. In 1979 he graduated from Edinburgh University with an M.A. in English Literature and Language. He teaches English in a Kirkcaldy secondary school and lives in Burntisland.

His poetry in Scots and English has appeared in many magazines, including *Lallans*, *Cencrastus*, *Chapman*, *Radical Scotland* and *Scrievins* among others. He has published three collections: *High Valleyfield*, *Glencraig* and *May Day In Fife*. In 1986 he edited *Lay Lines*, an anthology of poems by Fife English teachers, published by the Arts in Fife. His musical play in Scots, *The Piper of Largo Law*, was performed by Viewforth High School pupils in 1984. He is on the Editorial Committee of *Scrievins*.

WILLIAM HERSHAW

HIGH VALLEYFIELD[1]

Doon thonder a'thing was thick wi stoor,
Fine stuff it was, sir, pepper an saut
And by Christ ye didnae coaff or sneeze
For fear thon bugger went up.
That nicht I didnae fancy thon ata',
I'd been aff for a fortnicht wi the flu,
But doon that shank I went sir, a' the same.
I had a look,
Syne cam up in the cage wi Joe the Pole
Tae sign anither fortnicht's line.
It blew neist nicht at twa o'clock
Tho' we didnae ken whit day it was,
The hale o the Valley shook tae the foonds,
The plaister fell aff the press wa
And we a' ran aboot in oor nichtshirts.

Noo Joe the Pole, he dee'd there, no long back,
While I retired at sixty-three, bad lungs.
Forty-ane bastardin years I warked doon there,
Noo I dream I hear the picks ablo ma bed
Delvin the coal in the nicht. I speir them a'
Playin at cairds and here's me here.
Faithers and sons, brithers and kissins tae,
They were harum scarum and taen some drink
But guid boys a' the same.

Ma dochter luiks eftir me noo . . .
They sealed it aff syne ca'd it sacrid grund
But this I'll say . . . there's plenty guid coal there yet.

1 A retired miner recalls how he escaped death in the Valleyfield pit disaster in the Thirties.

CRESSEID[1]

The withered flooer o lipperheid steps oot
Tae wynd her road in rags through unkent warlds.
She minds auld worth syne curses a' aboot:
Nae Troilus noo, nor Freedom whaur she's hurled.
Ben lands o fendie fouk whaur she's nae place!
The bitter thocht gars her wish a'biddy ill.
Twa lovers coo — she glowers wi ugsome face.
Nae Gods but her ain sel that wrocht this will.
Aybidin gledness Troilus tried tae gie,
The tinselly lumps o siller thrown her road,
She taen the choice gien oot and noo can see
Through bluid-shot een owre a'hing deed she's wrocht.
She kens naethin can save her eftir Love
So shaks a rotten fist and sterts tae shove.

---

1   See Robert Henrysoun's *The Testament of Cresseid*. In my poem the
    Greek mythological figure of Cresseid is an allegorical representation of
    Scotland.

THE SEEVIN DEIDLY SINS

GLUTTONY

Gluttony guzzles anither pint
He neither needs nor wants
Noo that deed-beat Sloth's gan hame.
He waddles oot the pub and pukes,
His beer-kyte balanced 'gin the wa,
Syne haes a supper a' the same.
He's feard o being chased
So he disnae daunder through the park,
Knackered, stops tae get his puff,
A wheezin bag o wobblin fat.
Wi big-belly een on his denner
Is he mindin when he was a bairn?
Ane o eicht shilpit skeletons
Fed on pieces on margerine.

Syne he streetches owre tae skelp the jaw
O his ain sma likeness wha drunk a' the juice —
'Ah've a drouth the day and it's aye grouwin worse . . . '
Gluttony's fat hert aches syne bursts.

SLOTH

Glumpy Sloth, owre lazy tae lauch,
Maks the Scouts delve the hale back gairden.
Bides at the bus-stop for hauf an hour
When the Club's jist a walk doon the road.
Hert-lazy Sloth wha votes the morn:
Labour ay send roond a car.
Nae fear o feerich fae this deed licht,
He'll no mind the names the bairns ca
And tells them tae run for his fags,
Nae chance o thocht for he's ay a sair heid
That's lastit fae when he was laid-aff.

Back for his tea fae the second hoose
Sloth's ca'd flet wi bad news —
An auld wark mate will no be back,
Was taen last night, a hert attack . . .
So mibbe he'll pit on his slittered suit,
Show respect and gan tae the service . . .
But mibbe he'll jist hae an hour in his bed,
For mind ye, it will be a richt herrial,
A bus syne twa mile tae the burial.

PRIDE

Noo Pride's purchased her cooncil hoose
She's aucht a mortgage, no a rent,
Her scunnered neb's uplifted next
Tae Anger's plicht and ca'd doon fence.
She dreamt o it: no like the lave
Her dochter wed a college man,
Her husban's sweatin bluid tae mak
Siller that proves she's better than
A' them that hae a drink and swear,
Wha gan tae bingo and lauch mair,
Wha're tellt tae cam bi her back door
So no tae clert her scoured doon flair.
The better so tae gan this gate
The poor fouk get nae help fae her;
The rakin tinker's flyted fae
A hoose that shines like Lucifer.
Pride drees a wierd fixed fae the wame,
Nurses the cancer o life alane.

ANGER

There's Anger's wife
Wi twa black een,
She says she had a bad fa,
Shut hersel oot and slipped in the daurk
But a'bidy kens she didnae ata'.

There's Anger's mites
Wha loup in fright
And cour awa' if ye say hello,
There's Anger's plot o weeds and waste,
Wi flung-oot chattels on the gress.

There's Anger's
Grumly grumshach face,
A grungy scrievin deep on it,
He merrit young and taks a drink
Although he's no yet gaun tae seed.

There's Fenian bastards, communists,
Pauchlin darkies that steal oor jobs . . .
He sterts in fun til his hert pumps hate,
The drink is taen and Anger throbs.
Wi an ugsome licht ahent glumshy een
And his gob ay gaun like a rauckin
Whiles his temper simmers
Wi his slevers scythin
And his grudges rudgin
Til feart Sloth ca's fae the bar,
'Dinnae stert him!'

Anger wha bullies his faimly and freends,
Anger wha breenges,
Anger wha punches the man on the mune
And kicks the starns in the carry doon,
Anger wha stiffens, batters and melts
And rants at the sicht o wha he's becam,
Anger wi his guts on fire
And sheckled airm itchin tae herm,
Bairn Anger, niver shair o hisel
Till he ca's doon tears like rod and rock,

Anger wha shoves awa' thocht o ithers,
Speirs a warld mill-stane tae grind him doon . . .
But Anger thelamb, the silent, the guid,
Wi the pooerfu providers o roof and food,
Kens wha'll be meek and wha'll douse his fire,
Syne there's nae peep or spark oot o Ire.
Selfu Anger wha roars lood in pain,
Hittin-oot Anger ay hurts his ain.

ENVY

Skinny Envy,
Gabbit and green ee'd,
Slevers the sicht
O ithers' feeds.
A scraggy neck, a dowdy hat,
Bobs tae the kirk,
Tut tut tuts at awfi cairry ons,
Sooks in soor ploom livid cheeks
At Lust's fancy man
And futret-like keeks oot
At Pride's new car.

Skinny Envy
Wants sae much o laucher, love and life
But maistly spens an hour alane
Or in a pew in paradise
Wi thon big, braw man, Christ.

LUST

Lust kens ivry luik
And spitefu gib that's made ahent her back.
So whit? Tho' aince she'll blush aneth the rouge
She kens as weel there's nae help for it;
She's no worrit.
For wha wad hae their toom and timourous lives
And sit in wi the past, alane, a' nicht?
A video o memries:
A coal-black faither, gaun ane day,
A drunken man noo lang deed tae.

Still, she'd rether ay be merrit
Tae some ane steady wha wad kitten her and console,
But her rovin eye and easy smiles
Hae wastit monies the chance.
For aince oot o the hoose wi the laich licht and wine
The wrunkles and the laneliness are forgotten
Ivry time.
So mibbe he's no juist richt
But he'll bide the nicht,
She's luikin young in his drunken een,
For noo romance is in the sousled air
And she's no dwellin on whit hes and micht hae been.

AVARICE

Avarice cams tae the end o the road,
A dirty, ticht-fisted auld man.
He gies ye this and buys that,
Ca'n oot 'Balloons!' tae the bairns.
He keeps a hoosefu o junk that he hoards.

He keeps tabs on us a' as he rakes through the coup
And he wadnae gie ye a fag-doup.
Avarice, a joke on a warkin man,
Chappin roond doors and croonin his sang.

THE SANG O AVARICE

A hurley-barry that wheechs ben on thin air,
A ward and it fetches the message hame,
A wheepler tae blaw tunes that change and cherm
And keep the claithes dry in the pourin rain,
A whoorle, a geegaw and magic winnock
Wi colourfu visions tae dance on yer een,
If yer doon in the mou' for mair nor an hour —
A heligoleerie cantraips machine.

I'll show ye mervels finer bi faur
If young lass ye'll merry me,
We'll hae a hoose and a honeymoon
On the braw banks o Italy.[1]

A pooder tae drink that taks hert-brak awa',
A potion turns grey hairs tae black,
A tablet maks lanely hours seem croodit wi fouk,
A cherm tae ward aff a hert attack.
I'm Avarice wha tells ye tae want mair and mair,
Tae luik eftir yersel is nae sin,
That whit ye maist need I've ay got tae sell —
A glebe o guid land tae bury ye in.

I'll show ye monie mair glimmerin things
That'll sparkle in yer ee,
I'll big ye a bonny bricht bungalow
On the braw banks o Italy.

---

[1] Braw banks o Italy — what the Devil entices the married woman with in the *Demon Lover*.

GLENCRAIG

Glencraig,
Biggit syne unbiggit in a strummin o years.
A hale toun, aince thrang,
Noo back tae glaured fields
Wi the hooses and streets gaun.

Wi the Pit gaun tae (intae the Pit
Like Beckett's glint i the daurk
A'tween wame and fa'n intae grave)[1]
And wi a decrepit miner's institute
Left on its lane like a war memorial.
Nae langer rid reek scauds the neb
Frae pyramid slag piles.

The memrie o the slaves what biggit aneth
Is buried wi them.

Bricks, cement and stane,
Births, winchins and deiths,
Dissolve in a notion o a glimmerin ferlie toun
Swallied doon by subsidence.

Yet if sowels in passion leave a trace
O their heichts and laichs on time and place,
Syne Glencraig is a ghaist ridden gate.

---

[1] (Intae the Pit ... intae grave) — see *Waiting for Godot* by Samuel Beckett.

WILLIAM HERSHAW

THE MARY PIT GHAIST[1]

Wha's doon there tae speir ye these days
Faceless yet fleerin heid?
Aince, 'fore they farrant a park abune,
Ye frichted the livin daylicht
Frae monie a roch-fisted nicht-shift man
And aiblins ca'd ithers tae tak mair tent.

Dae the Deed cam alist bi the Quick's consent?
Dae ye ay wark as a time served ghaist?
Daes the thrummlin feet o the twa day week
And the leezure age abune yer auld houff
Mak waukrife yer early retirement?

---

1 Lochore Meadows Country Park has been built over the workings of
the old Mary Pit, reputedly haunted.

WILLIAM HERSHAW

ART EXHIBITION AT THE LOCHGELLY CENTRE[1]

Syne the drouth speirers had thrappled their wine,
The last ane gan stotterin hame,
The fisslin picters souched relief
For their darg had a' been dune.

The cramasie chiel wi galluses glowered,
'My Goad, thon's a roch shift doon!'
The dappled doos had a guid cauld dook
In the bowl they'd been pented aroon'.

A green fish spake wi a faced siller dish,
'I wad I soomed in the sea.'
Syne the pented purple leddy said,
'Life's lone in the public ee.'

A' were raxed but aye richt gled
Noo lousin time had cam,
(Though the snorin chiel ablo' firewarked lift
Had slept thru a' alang.)

Art hods a mirror tae life; they spake,
And lang they conseedered the licht,
The meaning, form and theories ahent
The weird sichts they'd speired that nicht.

---

1   The characters described were all figures in an exhibition of paintings
    by Tony Gallacher.

JOHNNY THOMSON[1]

Johnny Thomson, lithe as Spring
An athlete and a goalkeeper
Wha could save onythin'
But wan wanchancy kick tae the heid
And the lave o a young life
Gi'en scant time tae floor.

Yet ye can still fund auld men
Wha walked tae his funeral in Cardenden[2]
Wha's faces wull bloom owre and een
Moisten at memries o days lichtened;
Brocht fae Brigton,[3] means test[4] and dole
Bi his gracefu dives and shut-oots.

Johnny Thomson, in the thirties
Minded naethin' fir politics or bigotry
And lay deein at Ibrox park;
Ahent him at the Rangers' en'
The hoots and jeers grouwin like weeds
Wad hae drooned oot the crood at Nuremberg.[5]

---

1 Celtic goalkeeper accidentally killed in a match against Rangers in the Thirties while diving at the feet of Rangers player Sam English.
2 Mining village in Fife, birth place of Thomson.
3 Brigton Cross near Parkhead in Glasgow.
4 Whereby the unemployed underwent a thorough investigation to find out whether they would receive State assistance.
5 Scene of Hitler's pre-war Nazi rallies.

WILLIAM HERSHAW

WHEREWOLF

Last nicht we went tae Nairns[1] — a fact'ry, shut.
Tae chore a length o leed and ither hings.
The lave o them were feard and widnae but,
They'd speired a ghaist afore — the bluidy dings.
Ah've sleenged in there a'richt aa on ma lane,
Aince jamp a wa and gied masel a twine,
Ah've brak big windies in wi chuckie stanes,
The watchy's chased like stoor a hunder times.
So I rins whurin in. A haund grips me;
Twa cruel rid een, deid breith, a wherewolf's beard.
The frecht was mair nor drummlin hert cad dree,
I taigled, tyaaved and twisted, fangit-feard.
Syne I brak louse, roared grattin hame and sair:
Ma faither lauched and said a tramp bides there.

1   Kirkcaldy linoleum factory.

THE WHITE LEDDY

The fowre poems set doun aneth hae been scrieved aboot the ghaistlie white leddy wha is kent tae haunt a twa storied biggin built intae the Abbey waa that gangs roon the cathedral o St Andrays.

It bodsna ma consideration whither or no the leddy is bit a gloze in the gloff, a gangrel soul owre drumlie or thrawn tae bide at peace or some faushin o a video-memrie that cams alist, brocht back at stentit times; this is ayont ma kennin. Her meid, it is said, is aye sorrowfu, tho her features are maistly hidden, wi her heid bein wrappit in an auld-farrant hood and the rest o her mantilt in a lang white habit. She walks fae the biggin some minutes ben midnicht an ilka times lifts her bent-low heid tae speir owre the sea-waa. It is as gif she is bidin on a tryst wi another soul she kens will nivir cam and the ill-fettle o her brakken-hertedness is mair frichtenin than the sicht o her.

There is a story tellt o a lassie whase lover jiltit her in the years afore the reformation. In shame and sorrow she becam a nun. In her maddinin dool and in a spite at the pleisures o the flesh she spilet her comely features, disfigurin her face wi a knife and sheerin aff her aince bloomin lips. Betimes her lover cam back fae the sea for her and on speirin her scunnersome meid went aff at yince and hingit himsel. What becam o the lassie nane can tell but a hunner years syne, twa stane masons warkin on the waa brak intae the biggin and fand a mummified quean in a lidless ferter.

Monie jaloose that this wis the white leddy, buried in the biggin as a suicide nae fit for sacrid grun. She wore a white nun's habit wi a hood. In these fowre poems I speir the leddy as aye bidin on her lover, and he, haen been reborn monie times sinsyne, aye in thirlage tae fand her.

THE SANG O THE WHITE LEDDY'S LOVER

I hae rade ben the burnin planets an starns,
In glimmerin green, rid and blue,
I hae sailed owre the mirk moor mantle,
Aa fir the sake o you.

I hae feld owre the hingin vault o the earth
Wi the speed o the catogle's screech,
I hae grat in quiet thro coontless lives
Wi yer licht oot of reach.

I hae asked a pardon and release
Fae yer spell fir the sins I hae duin,
I hae focht wi the terrors o mind an daurk,
Whan nivir a judgement cam.

I hae followed the guide-licht o yer starn
Wi its cauld an burnin green halo,
Wi it faan tae the sea I hae followed it doon
An sank in the deep below.

THE BLUE LIGHT

I maunna cam awa unskaithed
Fae the blue licht i the tour,
Unsocht, I thraim whit ithers grue
An sprauchle ben yer deith-chaumer.

Toom heided as the poll's whase een
Aince cuckolded me fae lidless pits,
A shell cams tae yer cauld gill-ha,
An ill-graced, first and last fit.

An deein o luve or mebbe lang deed,
I maunna tell't fir ma life,
The deughle's drained me tae the fu;
I dream ma nichtmares waukrife.

Ma hert is a hollow stane haa,
Still as the toom tided beach,
It bides on yer caa in the sea-bree
But is mowred bi the catogle's screech.

THE WHITE LEDDY

Why are ye greetin sae sairly braw leddy?
Sae douce and caad doon bi sic dool?
I'll help ye gin ye can tell me why,
Wi yer grief sae hard tae thole.

Whit dae ye speir thru they tearfu een?
The time passes in an the raindraps fa;
Like aa the days that hae faan awa
Is yer grief that heavy an real ata?

Are ye greetin eftir some luve that's left
Or the puir wi their souls taen awa,
The fowk wha wull walk thru the cruel greeshough
Eftir aa that's been and wull be and aa?

Does this grousin cam aff the sea, braw leddy — ?
An why dae ye turn an walk bi thon wa?
Noo ye're lost i the shaddays tae me, White Leddy,
And I cannae speir ye ata.

THE SUMMONSER

At the dingin o the waukrife midnicht bell,
The Summonser soundin' thro the toun,
Aa touns are noo becam auld St Andrays
An the cauldrid clapper caas me.
At the last quickenin o the five senses,
The caa'tee o monie fitfaas is heard
An yin leesome licht is speired.
Then a spell hauds me
Tae the reek o the grave-claith an mool,
Wi the memrie-ashes o day left unraked
An masel mortifundit in darkness.
Then slowly I cam back fae a bein'
Bricht as corpse-candles,
Tae sit grey an fendless bi a fire:
An unstrauchtened thing withoot waykennin,
Tae bide till the neist tryst the White Leddy's biddin.

WILLIAM HERSHAW

AERIAL POEM[1]

The rooks are craikin as they gird
The axle o the pylon
Abune the Bin Hill o Burntisland.
North — Sooth — East — West —
Fae Mossmorran owre tae Torness,
Rosyth Dockyaird tae Seafield Pit,
Further oot thir kaas reach yit
Tae circle a' the yird.

Noo winter draws the day tae nicht
The rooks maun flee a' roon' and owre
Thon dreed apocalyptic fowre
But as the pylon winnae shift
I maun dree the dirgie lift
While rooks drap oot o sicht.

---

[1] From the television transmitter on the Bin Hill behind Burntisland it
is possible to see four industrial landmarks, roughly corresponding to
the four points of the compass. Each of these landmarks has the
potential to cause great destruction within the community.

MOSSMORRAN[1]

'The sky, it seems, would pour down stinking pitch ... '
Miranda, Act One, *The Tempest*

The Universe a lit-up tumshie skull,
Lift-tap bleckened bi the condles o Greypark,[2]
The flames o Mossmorran flaucht owre the daurk,
A cruel glint in the rook's bleck een.
In thir licht can noo be seen
A promise o plastics, factries, wark:
Cooncillors' bleck lees burn in the mirk.
Tho' nane exceptin God can tell
Hoo lang this gleamin siller hell
Will spew its poisonous flames up higher,
Cowdenbeath bides tae bile in fire
At the Universe's will.

---

1   Site of Shell/Esso petrochemical plant.
2   Community demolished to build petrochemical plant near Cowden-
beath.

WILLIAM HERSHAW

DOCKYAIRD[1]

' . . . the fire and cracks
Of sulphurous roaring the most mighty Neptune
Seem to besiege, and make his waves tremble
Yea, his dread trident shake.

Ariel, Act One, *The Tempest*

Like biggin thir nest in Guy Fawkes' hat
The rooks o Burntisland's Bin
Hae pyked a gie wanchancy airt tae raise thir young.
Owre whaur the wester settin sun
Collapses in a crammasie melt-doon
The hauf o Fife gan tae thir tred,
Streamin ben the Dockyaird gates.
The penter, fitter, sparky's breid
Is earned, shift-wark, in a tred o Deith.
No like the rooks, they cannae flee
Awa oot owre the Northern seas
Whan thir faimlies' fired at.

1 Rosyth Dockyard.

61

TORNESS[1]

'As wicked dew as e'er my mother brushed
With raven's feather from unwholesome fen
Drop on you both: a south-west blow on ye,
And blister you all o'er.'
Caliban, Act One, The Tempest

It cairries the soond o fleppin wings —
This snell wund fae the Eastern airt:
The fermer's freends[2] cam fae thir rooky coort
Tae clean the pests fae halesome fields.
They swally leatherjacket meals,
Hae wireworm feeds — then dee.
Invisible Deith blaws oot tae sea:
Fouk caa like rooks then vomit rings.

1   Nuclear power station on North Berwick coast.
2   Rooks are known as this because of the number of insect pests — i.e.
wireworms and leather jackets — that they feed on. Here the rook
is not a symbol of death, but its natural relationship with man is
emphasised.

SEAFIELD[1]

'Full fathom five thy father lies,
Of his bones are coral made ... '
    Ariel, Act One, *The Tempest*

No lang, t'will no be lang,
The very end o ivry 'hing,
An end mair bleck nor the rook's wing ...

Bleck as the rook's wing
The burnin treasure brocht up fae a'neth the grun',
Bleck tae the faces wha the treasure won.
Here the shifts o delvers wrocht,
Abune thir heids the cheengin sea-soucht.
Mockit and yirkit tae a man,
Thir backs as hunched as Caliban,
Unmindin o thir peril
In thir wark tae free the lang-pressed Ariel.
The hervest o this sea-field licht and heat
Thru a' the mirk-lang season when the wing disnae beat
And the rook kaa's nae sang.

1   Seafield coal mine which reaches out under the Forth.

BIG BANG BLAWS UP FIFE[1]

   ... biggin wi wards the unbiggin o Fife,
The last fragments o a hale medieval roond,
(I speired it in identity and aneness)
It brak in shards
Like Sisyphus'[2] huddery whumpery judderan[3] stane
At the fit o the quarry brae,
Wi a bang that lood
Flesh blawn frae form,
Maitter scattered like wards,
Thocht oot o context, rib-bane burst intae dust,
Aiblins imagination dreamed o it
Or aiblins ane day it wud be sae,

(Time dirled tapsilteerie bi the dint)
Sae it wis whan the ba burst,
The balloon gaed doon like a zeppelin,
The seevin rings collapsed like girds in a jangle
Three auld volcanoes[4] hooted like steam engines
The wheel nae langer birled,
The millstane crakked,
The axle fell aff the barry,
Lichtens like straws[5] flew owre the firmament,
The planet caved intae a crammasy fire-ba,
The Dockyaird shut doon,
Whiles settin in the laverock's hoose[6] owre Grey Park,
God haed gotten nae tea[7]
But faushioned in man's molten image
Wis burned bi the hoodie-monks o Shell[8]
Wha taen him fir John the Common-weill[9]
Whiles the leather jecketted Clootie flew
Doon owre Knox's pulpit[10]
Wi a stane fir coupin Loch Leven
Tae kill a Sunday Post Troot[11]
And wis frichted bi the bang and fell,
Skirlin in the lift in green and blue flames,
In a bubbly tarry midden landed
Owre the ashen banes o bairns
Wi a muckle clatter.

I hivnae the wards, the truth tae tell,
Fir the sair ane that Fife got that nicht.

1   This poem refers to a hypothetical situation in which the Mossmorran
     plant blows up.
2   See poem of the same name by Robert Garioch written about Greek
     mythological figure in Hades.
3   Onomatopoeic representation of the shuddering movement of the
     stone.
4   Largo Law, East and West Lomond.
5   See 'Summer Farm' by Norman MacCaig.
6   The lark's domain, the sky — see 'The Watergaw' by Hugh MacDiarmid.
7   See 'At Tea-Time' by Alistair Mackie.
8   Employees of Shell.
9   Allegorical figure of the common good from David Lyndsay's *Satire
     of the Three Estates.*
10   Rocky outcrop on West Lomond reputedly where Knox preached.
11   Said newspaper gives a cash refund for any fish caught with appro-
     priate tag.

WILLIAM HERSHAW

ALLY BALLY'S SONNET[1]

A skull that liggs on spindly, tucked-in knees,
Airms bindit roon the ruckle, still as stane;
Nae ancient burial sicht, delved oot history,
A stervin deean consciousnous in pain.
We are as much alist, that bide in Fife,
As lang deed fossils tae thon cursed airts.
We hae mair kennin o the eftirlife
Than famished wae that aches in hungry herts.
Wark as we maun tae chert in oor mind's ee
Thon unco, ugsome, awfi, deithly map,
There bairns and bairn-like groun-ups daily dee
In drouthy hell while we turn on a tap.
Deaf as the deed, we hae live sowels forgotten —
Hoo lood the greet afore the deed awauken?

---

1   Ally-Bally: character in 'Coulter's Candy', Dundee street song — 'A
ruckle o banes covered owre wi skin.'

ON HEARING THE PSALMS SUNG IN GAELIC

I hae heard them sing
Like a hert-sair bairn desertit bi its faimly.

I hae heard them sing
Sad as the wund, bleak as their corrugated kirk.

Their singin was like ma sowel torn fae ma chist
Tae spake afore me in God's leid.

They sang wi a holy dreid
That tell't o a' they'd lost.

The kythin wards unkent tae me but the hale
Hauf-kent, a tale mindit fae bairnhood.

I hae heard them sing,
Noo I maun believe their tungue was spake
In whit Eden[1] there ever was.

---

1 Many Gaels believed their language the original one, spoken by Adam
   and Eve.

WILLIAM HERSHAW

GRANDFAITHER (SPEIRIN GOD THROUGH MUCK)

There wis ninety-odd lang years
Syne the auld iron man lay licht at his last
At a son's hoose in Carlisle.
Back up at his Kelty[1] hame that day
A pented pit-prop o wattergaw
Wis hingin owre Kirk o Beath graveyird
Wi the rain dreepin doon fae the black and grey
As gif tae mind the deith.
It cam tae me in passin
Thon rainbow wis the heicht and laich
O the shaft the auld man had wrocht doon.
It wis the tail licht oan the wagon
That cairried his auldest son's life awa.
It wis a cam hame sign fae his wife.
Fir it kythed up thonder like bluid-hued shells
Ayeways untellt o sin' the Somme's glaured fields
Whiles the froon I wis feared o as a bairn
Thundered ahent the bleck cloods.

Hid he iver heard tell o such gyte ideas
His lugs widnae hae tholed it.
Syne he wad hae spat and girned:
Glaured fields are whaur ye dae haurd graft
And a bluidy rainbow is niver a shaft.

1   Village in West Fife.

67

COMP

Aince I haed twa grandfaithers,
Noo I hae gotten nane.
Auld Wull I scrieved o no lang syne
Noo by and by I cam tae mourn anither ane.

Auld Wull and Comp were like the day and nicht,
Ane wes dour, ane douce.
Tho' baith haed warked thir life ablo the grun',
Auld Wull haed taen the coal-bleck tae his natur'
While Comp blinked bonny in the sun.

Baith were straucht and true
In the wey maist miners hae,
Thon quiet and kenspeckle dignity
(But Comp forby wes gentle tae).

He taught me dominoes and cairds
And mair asides. Noo ay allooin
Fir fause sentiment that follys deith,
The plants he settled wi his haunds
Are ayeways grouwin.

I ken fine that in some timeless airt
Lang eftir closin 'oors has cam,
We'll lift anither haund o banes,
Me wi ma pint, him wi his rum.

Fir there is a licht that nivir gans oot,
There is a licht that nivir gans.

TAE MA MITHER AND FAITHER

Honest, hard-warkin, warkin-class Fife fouk,
Son and dochter o miners theirsels,
Brocht me up tae hae
Faur mair than they,
Forby, tae mind whaur I cam fae as weill.

Langtime it's taen me tae cleirly see,
So reader be mindit that if ye speir
Owre whit sma worth
These wards hae got —
They twa were the makars o me.

SECTION III

HARVEY HOLTON

Harvey Holton was born in Galashiels in 1949. He has lived all over Scotland — with a couple of years in Nigeria — before settling in Fife in 1975.

Has one collection out: *Finn* published by Three Tygers Press in Cambridge, 1987. He runs a writing group at Dudhope Arts Centre, Dundee, this for the last four years. Works with classical/traditional musicians in the presentation of work on a live basis, and is interested in continuing and developing this avenue.

IN THE SILENT LICHT O THE BLUID

A cycle o twall poems

1

In the silent licht o the bluid
The lang drawn day dees.
Fowk flauchter hame tae bed
An derkness resurects its ain sell
Wie the turn o the yird in the universe.
Waitin noo, quaitlike wie fricht,
The blind worm o time prays that sicht
Will bring naithin thats averse
Tae the tales that he can tell.
For fine he kens that its no daured be said
That the mowdie but blindly the derkness sees
In the silent licht of the bluid.

2

As the lang drawn day dees
Hoolets fathom the depths o nicht.
The winds tides blether the back-end branches
Shakin the derkness that bides in them
Tae sneg the unkennin in the warld o the wind.
Its here, unner the sternies, that the dwamin
Doo an pheasant, stertlt intae a scunnerin
Scraichin, brak the saft derkness tae find
A silence deep eneuch, never again tae be the same.
The air is in the bluid an flowin it launches
Itsell on a trek frae hert tae harns hicht
While the lang drawn day dees.

3

Fowk flauchter hame tae bed
In the orange derkness o the streetlichts.
The Helm wunds whistle in up street an closey
Garin the bluid dunce tae the chill
That, wie awsome clarity, reaches intae it.
Gas fires an electric blankets'll no brek the bond
That binds they twae in an embrace sae fond
It rins frae big hoose tae bedsit
Payin heed tae neither strength nor will.
In the streets theres nae wie tae be choosey
For thon chill whustles through weel set sichts
At fowk flauchterin hame tae bed.

4

Derkness resurects its ain sell
An spreids frae the unkent airts o space an time.
Brock an tod spill bluid in the cauld air
For the fresh mait that wi awe need
Tae kep the lichts flame through bleck o nicht.
Its grallocht noo an gut twynes through gut
For the neb that twitches roond wuid an wheel rut
Blind in the clear derkness that needs but ain sicht
For the kill tae be made. The body bursts like a seed
An crammasy bluidlicht hits the derkness wie a stare
Tae arc owre space in sic slow time
That darkness resurects its ain sell.

5

Wie the tirn o the yird in the universe
The chronology o wir nichts is nummert.
Dwammin pits his cauld wash owre the sin
Colourin in shades o bleck the wild spectrum
That is coontit as the licht o the day.
Maist o the yird lies in the pool o sleep
Twitchin an shiftin as the bluid warks tae keep
The hert an the harns still wie a say
In the cauld air o a licht it expeks aye tae come.
Noo is the time when thocht can grow or begin,
When in dwammin it is forged an hammert
Bi the tirn o the yird in the universe.

6

Waitin noo, quaitlike wie fricht
Yestreens ghaist shivers in the wind.
The hunter, hauf hidden in the reflectit reid
O the watters edge waits for the claiverin
Skeans o geese tae flicht in through the air.
In the drek, afore the cauld maw
Wings fuff in the slowin time o the faw
An bullets on doon spring bluid wie care
Etchin the patterns o the bodys claitterin.
Wie winters hauf licht the lift'll bleed
An sit silent, the fuu derk for tae find:
Waitin noo, quaitlike wie fricht.

7

The blind worm o time prays that sicht
Micht murmer enlessly through the derkness.
Cauld crystals in the lift greets
His steady ee wie the glisk o the navigator
Gazein sichtless through time an through space.
Bats anaw fathom nichts deeps bi hoose an bi byre
Loopin in daiths wing the quadrant, the spire
The kikyaird wie its lang beardit face
That'll toll the bell sainer nor lauchter.
Noo, wie the wund i the sternies, a pattern creats,
In the blinterin o the bluid, a keekin gless
Whaur the blind worm o time prays for sicht.

8

Tae bring naethin thats averse
Intae this yird is tae kill it.
The shy lauchin jay an his kisen the craw
Ken the quiet beat o the nichts derk bluid —
Ken the quiet pulse that feeds itsell on fear.
No aabody has tae sleep when this time has come
For fer ootbye, ayont the fire, there are some
Whae deal in a derkness that smoors shear
The viens o thon licht that want tae open in flood.
They ken for they hae richtly saw
The carrion makar wie them sit
An bring naithin thats averse.

9

The tales that he can tell
In the blind pattern o jokes are tellt.
Unner the wild derkness o the shiftin sell
An the warp an weave o nichts ticht brenchess
Shuttle the designs o the folliein day.
Wunds breenge owre the skitterin lauchter
Widelie flingin an echo that'll no flauchter
The soond o the hoolet frae the sicht that he'll hae
O the dauncers in the derkness takin their chaunces.
Steppin in an steppin oot, shapes shift themsell
Tae form an reform untill their shawdies are fellt
In the tales that he can tell.

10

For fine he kens that its no daurt be said
That crammasy an russet bluids on beeches.
Its whaur fine grown sticks hae faan,
Blawn aff wie the morn's wordit soond
Tae be sealt bi the nichts drappin licht.
The birds ee wings close owre the kep
Spellin the shape, the form o the unkent step
That cries the caa o the frichtit sicht
In the warp o the weavers wordless wound.
Noo it is an micht bi the seed be shawn
Tae be veint bi the blind, dumb leeches
But its fine he kens that its no daurt be said.

11

The mowdie but blindly the derkness sees
In the bluidy tunnels an mines o the nicht.
Dankness an derk rules in this kinrick
Whaur crawlin worms an scuttlin baists
Are the servants o their maisters hunger.
Owreheid nichts peenie hings for the hunter
Whae kens tae that in derkness the blinter
O licht on the grund winnae linger
An its eenlowe that maks nichts faists.
The bluid o the sternies bi reek an trick
Is spilt oot o veins in the grund oot o sicht
Whaur the mowdie but blindly the derkness sees.

12

In the silent licht o the bluid
The lang drawn day dees.
Fowk flauchter hame tae bed
An derkness resurects its ain sell
Wie theturn o the yird in the universe.
Waitin noo, quaitlike wie fricht,
The blind worm o time prays that sicht
Will bring naithin thats averse
Tae the tales that he can tell.
For fine he kens that its no daured be said
That the mowdie but blindly the derkness sees
In the silent licht o the bluid.

FOR THE GRANDFAITHER:
SAMUEL MACDIARMID YOUNG

You whase grave lies bi poortith unmarkit,
Progenitor o ma ee an verse,
Allow me noo tae sing yer praises.

Wan, ye warkit in wuid;
Auld craftsman o Kilncroft
Yer faither a photographer
Yersell a painter, engineer, gairdner.
In wan war ye were gassit,
An anaither made sonless;
Whit tears an joy were in yer soul.
Greetin at the brither's weddin,
Rantin for the students in the Paris streets,
Ye schoolt me in patience an politics
Bi daein naithin but bein yersell.
Whaun ye were owre auld for it ye were ma faither
An though at times ye couldnae be fasht wi it
Ye still gied me the steel o yer conscience.
Yer singin o opera wiz owre
Bi the time A wiz auld eneuch tae lissen:
Auld tenor amin border bairsns.
E'en at the end, whaun yer body failt ye,
Ye were mair concernt for yer quairs
An for her whae noo shares yer grave.
The sad drawer o press cuttins,
Yer final solace:
A hae yer quairs auld yin
An ma promise, never eneuch in itsell, A keep.

FOR THE GUIDFAITHER: JIMMY HALL

Freend an guidfaither,
Seed o yer dochter,
Ye gied me a dooble blessin.

Aye a pleuchman chiel
The dreel ye furnisht
Fed mair than yersell,
An though the mechanics title
Ye widnae hae
Ye cuild big in metal or wuid
The needs o yer nearest.
As a gairdner ye were a bit pernick
But ye learnt me the wies o warkin
That wiz closest tae yer hert.
Though never a Maister in onythin bar the soil
Ye cuild turn yer haund tae whit the ee saw;
An noo yev faan
They still staund.

The first daiths the ainly ain
An graspin it wie nae compleent,
Fogettin aboot yer rugby or yer accordian,
Ye took thon final rig-end
Worryin ainly aboot the livein.

Yer dochters faither ye were
But yer son ye made me.

THE BLUID O CHRIST DREEPS ON CATALUNYA

A spear wound in the West
The auld sin gies a slow wink
An sinks ablow the Catallunyan hills.
Bluid reid its michty passion tints the lift
Shamein the pare purple o Cathedral lichts
Whaur fowk hae bowit, prayit and confest
For centuries. Whaur noo tourists, awesome, slink
In husht reverence at the haund o man, an God wills
Them dae that as he willt them try tae sift
Gowd frae base leid. The pain that sichts
The bricht ee o the inquisitor when confession at last
Is near kinnles the stake whaur honest fowk sink
An ableeze the licht o fascicm breenges at the kill.
Noo wrestit frae feudal peasantry, fowk shift
In life through mopeds tae cars feelin ticht
An secure in an auld freedom that kens best
Its juist in primary skail an learnin still tae think.
But the wound aye bluids; ableeze owre hills
It rins frae the hert tae the hert an nae rift
Noo can tear thon gash frae either the side or the sicht.

ON THE PLETIE: CHORA

The het wund reeshles the hair on ma leg
An A think on silent couples sittin
Kennin the quiet distance that lies atween.
Psychic dauncers in the wierd o their jinein
Warkin the wonners o communication in separate thocht,
Like each their ain lifes quair they are readin.
Past paragraphs an passages, the giein an pleadin,
Awe thats been won an lost, awe thats been focht
Tae gain thon silence that sits quiely pinein
That nae unkent thocht shuild come unseen
Tae shatter the ideal crystal wie a word unfittin
An let time, the mangie dug, raise its heid an beg.

UNTITLET. BUT THINK ON KELPIES AN ANGST

In the cup o the loch,
Deep delvit in wild watter
White horses whinny amin green gerse.
On the banks a new born bairns been misst
Frichtit fowk ken the keenin o a mither,
See the sad stare o their freend the fisher
The faither, freend an faither tae baith bairn an bride.
Wisely he watches waves as he rides his return,
Silent she stares frae door tae deep watter
Baith bewailin the boon o their bairn.
Oot o greetin grows derk demons,
The snortin an shakin o hair an heid,
The rollin crazy een wild wi a wild kennin:
Anaither white horse paws an prances on perfek pastures.

THINKIN AN DAEIN

Atween the blink o the ee an the harn,
Atween the seein an the thinkin,
Time an space whummelt in the swee.

Dykes rise,
Fields, end-rigs nae pleuchd syne,
Rummel intae the lift.

Gowd-lickit cloods
An bleck staunan aiks,
Awe the gap atween seein an thinkin.

Thinkin an daein
That wir word micht come
Speiritin oot o thon gap
Speirin at the yird an awe its cronies.

Wir ain word biggit that wi maun tak it
An yokein it, let it flee
As the finger lifts an the air
Flees oot the taem chaunter.

Chaumer pipes for dauncein
An War ains for bleedin,
Auld words for speakin
An new ains for readin;
Theres the chink atween thinkin an daein.

FOR MA AIN MUSE

Gin A wiz giein hauf the chaunce
A wid hae ma muse daunce naket
In awe the secret simplicity o her ain beauty.
Like veils A wid hae her shed a chastity fause
Tae her symbol, shape an form.
White the leaf back o the rowan storm cast,
Bricht the licht on the guid neebours mountain
As birle she does, dauncein wild an breengein free,
Feet tae the yird an haunds tae the lift.
Pernik in the present her place she'll shift nane
But her shape she'll from as her presence please
The mood o a music auld an young as the seas youth.
Through rags her riches wid shine,
Warm an waitin as flesh on fine silk
She jouks an jinks, magician an madman
Fool an hard hag. A driftin, incaain daunce
She taks twall points in the dress i a doe
As burns she blesses wie a fresh flow o feelin
Wie words wild tae wonder at an names freshly namet.

LINES SCRIEVIT ON MA BIRTHDAY

The sternies that in wir fingers daunce
Never daunce as bricht as when they touch.
Threidit tae the heivins an their movement
Its a pue that gars us embrace constelations
An name the designs that through the lift drift yearly.
Syne wi coorie in wir airms the shape o centaur or partan
Haudin in wir heids the character o thon baist or virgin
Neither kennin what gied what tae whae an rarely
Thinkin whit body pues whit body in awe thon consternation.
Whae but they ken that the future bides but in thon moment
When bodies rax oot in heivinly magnetism till becomein
    owre much
They ken awe is set an that the first birth is but the last chaunce.

84

TIEIN FLEES

In the awesome heid o god
A poke o feathers
Gaithert frae the tail
O the mallard duke
Fellt as it made tae bux
For the lift its flicht
Curtailt bi the spatter o shot
Frae the hunter's gun:
Deek the fish, deek the rod,
The line, deek the heuk,
Thon fancy barb wi the bonny
Bricht green colourin
Thons a tail, an oily gaitherin
Frae the erse o thon deid baist
Fetchit richt frae oot o
A wee broon poke.

DOOKITS

Aye wie kep doos here,
No for the sake o the doos like
But for the sake o the squabs,
For the sake o the eggs.

Its nae reest they get frae us,
The young ains.
Some live though,
Some learn tae flee
In the white flicht o peace.
As for the rest . . .
Weel Columba,[1]
Its hard here in the winter.

---

1   Columba, the dove of Christianity. In Fife doos were kept for winter
   eating.

THE DROONT GULL

It's aye been in ma mind
That thons the greatest fear
That gars the harns tae birr:
Whaun the tithers death
Is seen an felt bi aa
Then wi maun face wir ain.
In this yird theres nae sayin
Whaun tae gart wirsell tae faa,
But run wie dae frae the ithers skaith
Like the gull droont in the firr
Bi the tirnin o the pleuchshear
Wie taem the field o wir ain kind.

IS IT AINLY IN WIR EEN WI MAK THE YIRD

Frae the distractit synapse rises the space
An intae thon brief blinter faas the soond,
The pattern, the unthocht unsocht thocht
Thats kent an seen an in its realness is kent
Bi the soond o the memory or the memory o the soond.
Mind thon day, mind the time, it wiz nicht
Wie hoolets hootin at a wayward muin
An breekit sticks burstin wie reistin doos.
Owre the blackthorn the derk lift an sternies
Screamin at ain anither makin e'en bigger
The space in atween. The tod, the bitch
Scraichin intae the nicht, sae late it wiz day
An the darg wiz cawin tellin us that thons fey,
Thons the queerest ongaeins o fowk an witch.
Come hame, come hame it cawed tae the fare siccar
Laund o richt time an richt trials whaur ferlies
Come frae airts ayont the want o the noo
An whaur ye earn in yer time the richt wie tae begin.
But the view o T.V., in colour real anricht
Gies tae the yird the note deep an roond;
The roll o paper that a dugs been an rent
Frae the haunds o a mannie that juist new thocht
Tae fin the blin blinter whaur faas the soond
O the distant synapse risein intae space.

HARVEY HOLTON'S COMPLIMENTS
TAE KATIE HARRIGAN'S CLARSACH

Aince A felt the Clarsach daunce
An in a yowdendrift o strings
A felt ma ain hert trummle.
Frae sternies tae yird-shift
Ma banes an bluid gied tae wir authors
Awe the airts o wir histories airts.
Airms poised, thoumbs an fingers stretcht on the strings
Snappin intae the palms wi pooer an bricht pleasure;
Nae wund maun hae blawn them
But pernick they wiz pluckit
Bi haunds whae sing wie sic a beauty
That in thon presence A maun be dumb.
Dumb tae thon cool wunds chauncey blaw,
Dumb tae the wund blawn strings o a logic
That imagines a hert in a heid
Whaur nae hert bides.
But reeshelt A maun be bi the strings ferly present
Whaur soond box an curve gie us the tension
Atween string an soond.
Atween soond an string
The strength an saftness o the harns
For its blistert fingers at the darg
That maks the soond sae sair an sae sweet.

HARVEY HOLTON

CALEDONIAN PINES

Gien the wanderan drift o the thristles shift,
The forfechen mainer o the bleck knifies favour,
It's thrapples A'll slit an bluid A'll savour
Tae be a retainer o the bardies guid gift.
Noo that the wunds pit the cauld lift tae fit
The derk clood chinges, the bricht licht reenges
Fer owre meedies whaur at sticks it breenges
Makan them split on the laund whaur they sit
An breekit an tore, laich wie the lore
They're thirlit raither tae the yird an mainner
Whaur birth maun gar them aye be siccar
Tae whit the auld seed bore in bud an spore.
But still its aye borne, nae maiter hoo forlorn,
The bleck derks past that its been fund in an cast
Is juist thick lees fit tae blast for aye it'll last
For ma kintra's pine sties fast whaur it wiz born.

IN THE QUIET O THE WARD[1]

In the quiet o the ward a tumour gently burst
Inside the space o the strecht spinal column.
Wie the wecht o a carefae laid blanket
Its awesome effect spreid owre the hail body
Stappin bit bi bit, function bi function,
The virr o life's ain smeddum for itsell.
Quietlike though it wiz it cam wie a yell
An a thrashin that has nae richt unction
But the final ane that comes tae aabody.
Efterward, in a peace thats no aye thankit,
There wid be time eneuch tae be solemn
An let the brave care for the carers first.

1   An actual incident that took place in the spinal unit of Eden Hall Hospital, Musselburgh. Told to me by one of the brave.

TOM HUBBARD

Tom Hubbard is Librarian of the Scottish Poetry Library. He graduated M.A. and Ph.D. at Aberdeen University, and was formerly a librarian at Edinburgh University Library.

In the early 1980s he taught evening classes in literature. His poems (mainly in Scots), essays, articles and reviews have appeared in various books and magazines, including *Cencrastus, Chapman, Clanjamfrie, Glenrothes Gazette, The Green Book, Lallans, Lines Review, Radical Scotland, Samizdat, Scrievins* and *Voices of Dissent* (Clydeside Press). He contributed the essay 'Reintegrated Scots: the Post-MacDiarmid Makars' to *The History of Scottish Literature*, Volume Four, edited by Cairns Craig (Aberdeen University Press, 1987).

His first, albeit small, collection was *Sax Sonnets in Scots* (Scrievins Press, 1987); he is currently putting together a larger collection for Three Tygers Press of Cambridge. He is on the Editorial Committee of *Scrievins*.

AT SEAFIELD, FIFE

I staun at the tour,
The mines are ahent an ablow me.

Here I'm maist intimate wi oor nation's past:
Minstrels made music within thae waas
Whaur nou the wind sings; deep, deep in the erd
Hae coalliers warslt ti create, as nou --
But sall they jyne the minstrels in oblivion?

Here I'm maist intimate wi oor nation's present:
Dame Scotland nurtures coalliers in her wame
That they maun nurture us, an bards unborn:
A process as organic as the cleckin
o that rich gress that growes aboot this tour's
Lang-tummilt stanes.
                          — Oh ay! Are we sae shair o't?
Heid-makars still an on fail ti tak tent
o haun-makars: we maun nae assume
Destruction aye owretaen by we creators
Ettlin as yin. Fir certes, we are riven,
Riven apairt: waik makars, wichter brakkers.

Wad I were intimate wi oor nation's future.

The yin Seafield faces anither:
Inti the Forth there thrusts, crackit an snell,
A stany finger: it is the beldame Scotland
Pyntin ti Embro — Europe — an ayont.
I turn awaa in dreid:
Aroun, aiblins inby, the blinterin firth,
The gear that warks oor wrack, we're cosh ti thole.
An I micht scrieve, an coalliers micht howk,
An aa gang on firever, as we think it,
But there sall be some tummles, mair nor this tour kent;
An unco mirk, mair awesome nor thae mines;
Whan thae, whase hale delyt is in destroyin
— Wha lippen oor thowlessness —
Sall wi an artistry maist consummate
Rive the aareadies riven ti th'ultimate . . .

The ocean an the lift mell in a scaum,
Buirdlie but lythe: anither sain sae vaudie
At daith o day, sall hecht nae resurrection —
But gin I'm intimate wi sic a future
An wad be mair nor intimate wi anither,
I maun unite the present an the past,
Mysel wi ithers, heid, an haun, an hert,
Scotland an furth o Scotland.

I descend fae the tour,
Wi the mines ahent an ablow me.

Sall Scotland owretap her eild,
An a fresh seed stir in her wame?

(1984)

TOM HUBBARD

HOMAGE TIL CARL NIELSEN[1]
(Nørre-Lyndelse, Fyn, Denmark)

1

Ti reenge aa owre the globe in bairnlie wunner
At spreid o oceans, continents an deserts;
Ti mairvel at the awesome bens, the reek an steir o
                              Buirdlie cities;
Ti tak aa this, an mair,

An yit ti keek sidelins,
Lattin the erd turn on an turn awaa
Fae my inmaist thochts — it's then I mak repone
Straucht ti the beckonin o the merest inch,
A raggit scrap, a crum
Lang drapt fae Europe's bouk intil the sea,
Syne tuckt inby this corner o aa corners —
Ti whilk comes me, e'en smaaer nor itsel.
Still bairnlie aboot it,
Kittled up fir adventure,
But quaitlik tae, as gin my ferlie quest
Wis airtit ti a grun whaur ye micht growe
Ti flooer warld-wide.

2

The great man's wark
Latent in the first skirl o the bab;
Ilk ootcome o a phrase,
Subtle, but somehou naitral,
As gin it cuidna tak anither gate:
Aa this wis formin in a wee loun's pliskies.
Whan he an his muckler pals
Cam traikin throu the loan
Fae rammies wi the gangs o neibourin clachans,
His faither's dander wis fairlie up, nae doot,
Yit bluidie neb or skelpit bum's a stert —
Fir he'd hae wechtier warsles ti record.

Ay, this wis the foond o it aa;
Aiblins at hairst-time a ballant heard i the park,
Gut-scrapers at the ingle-cheek,
A blin maisician
Airnin gey few bawbees in a bevvie-hous —
Sae Carl wad lear o maitters in this life
Cryin ti be confrontit:
The speerit o his fowk
Raxin ootby, an throu him, faurer yit,
'Yont Marx's 'idiocie' o the kailyaird;[2]
Nae kailyaird thon, but apen ti the cheenge
O ilka tid an saison.

3

The sangs o innocence an experience:
The twa can soond in bairnheid — an thereëfter;
The 'yince upon a time' is fir aa time,
As kent thon skinnie Hans fae up the road.
A glaikit laird, vauntin his cheatrie claes —
An ugsome burd o the dub —
Images that baith plaise an stertle
In a blink:
The instant whilk lichts up the hale o a life
Wi an unexpeckit turn fae plus ti minus
Or minus ti plus. It's this that sairs us weill,
Gin that we're lawdie or deuklin,
High heidyin or swan.

4

Sic wis the pad I tuik throu thon wuid
Whan I socht the monument:
I didna ken whaur it wad lead me nixt . . .
The zig-zag o a snake,
Pynt an coonterpynt:
First, choleric; then, phlegmatic;
Melancholic succeedit bi sanguine;
Saul, Goliath — but Dauvit;
Jeronimus, solemn, fou-breekit,
Wi a lauch an a daunce deflatit;
An wi aa its twynin an trauchlin agin its faes,
Wad thon theme fae the clarinet win throu at the end?

5

Cleirin my wey mang fankle o the trees,
I fund the brek o the mirk as the leaves pairtit,
Wi the pedestal afore me in a neuk
Whaur I cuid lay by;

Then aa the simmer skinkled on the bronze
o a peerie chiel wi his whussle, an his een
Kest up fou birkie:
— Fir there wis naethin else athort the universe
That wis worth daein!

1   The poem alludes to Nielsen's account of his childhood and to his
    various compositions. Section 3 alludes to certain well-known tales
    by Hans Christian Andersen. Andersen came from Odense, which is
    the main town of Fyn and a few kilometres north of Nielsen's village
    of Nørre-Lyndelse.
2   Literally, 'Kailyaird means 'Cabbage-garden'; the 'Kailyaird' or 'Kail-
    yard' was the name given to a sentimental, backward-looking school
    of Scottish writing in the late nineteenth century.

SPEERIT O THE LEID

In Surinam there bydes a fowk
Ayont the mairch o the thrang toun
Ayont the pale man's paler biggins —
An auncient fowk wha hae kent lang
Whit gars the bluid ti lowp an birl
Alsweill ti lig an dover owre.

There in thon fremmit grun they howk
Neath trees whase gentie leaves pynt doun
Ti kythin o their courss beginnins:
Then ruit o plant wi ruit o tongue
Is melled, fir ilka mou ti hurl
The spit intil the gaitherin jaur.

      Nane o thae chiels is scunnert bi
      The pouer o their ain quickenin bree
      But oor faur-northren fikyness
      Gecks at the thocht o sic a mess:
      Oor betters wadna think it meet
      Ti tak oor native speerit neat!

In Scotland, though, we yaised ti dell
In grun as fremmit nou, it seems,
As ony Amerindian steid;
We swilled aa maitter fae ablow
The face o man an yird: nae shame
Ti ettle at a synthesis

o conscious an unconscious sel,
o heichs an deeps, o facks an dreams,
Articulatit bi a leid
Whase words maun intimatelie growe
Wi aa that they uniquelie name,
An aa the fowk whase leid it is.

      Aiblins the hale is near owregien
      As gif nae pairt o it we'd taen;
      An furth o strachts whaur fowk nou breenge
      Aa gates an nane, we'll ne'ermair reenge:
      — *But suid there byde a drap or twa,*
      Sic smeddum needna dwyne awa!

TOM HUBBARD

BALLANT ENSCRIEVIT IN ANE BUIK O PENTINS BI PAULA MODERSOHN-BECKER[1]

The lass i the gairden
Ilka secret wad ken:
Big Faither decreed her
Dounhauden bi men.

They'd dae it the haurd wey;
They'd dae it the saft;
Aye aroun fir their spielin —
Kept richt bonnie — an daft.

Whan they tired o her presence
Ither pleisures they socht;
Sae they tuik ti aa wars
That hae ever been focht,

Perfectin their bludgeons
While *she* bade at hame;
But nou her auld honours
She's come ti reclaim:

She pents, shapes an scrieves
An reverses God's plan
— *Das Ewig-Weibliche*[2]
Zieht uns hinan.

1   Paula Modersohn-Becker (1876-1907), the great German artist, was a friend of the poet Rilke, whose portrait she painted. For his part, Rilke wrote a poem in her memory: an English version by Hugh Mac-Diarmid appears in *To Circumjack Cencrastus.*
2   I quote here the last lines of Goethe's *Faust*, Part Two: 'Eternal Womanhood / Leads us above.' (Translated by Philip Wayne, Penguin Classics edition.)

SAX SONNETS IN SCOTS

THE MAKAR
Efter Amairgen

I am the win that blousters owre the sea,
I am the swaw that reenges deep an faur,
I am the bul wha fechts an bears the gree,
I am the earn wha bydes abune the scaur.
I am the greetin o the broukit sun,
I am o flooers i the field the ferliest,
I am o grugous gyres the gurliest,
I am the saumon, slippy ti be won.
I am thon lochan i the haar-fou howe,
I am thon saicret word in ilka leid,
I am thon bairn that sall firever growe,
I am thon pouer that fires the eident heid.
Wha brichtens the foregaitherin on the ben?
Wha spaes the starns? Wha else maks gods o men?

IN A KIRKCALDY WARKIN-CLESS AIRT — 1962:1987

Nine thoosan days hae deed sin you bade here;
A hunner raiths,[1] fae cranreuch throu ti sun;
As mony dunts, thir five-an-twenty year,
Upon your hert, seem aa that you hae won.
An yit the schuil, the store, the clertie grun
Your bairnspiel kent, byde on. Hit's juist the fowk
Are new: their leid comes fremmit ti your tongue,
You buik-leired doctor goavin lik a gowk.
Why come ye back? Whit notion gars ye snowk
At whit's nae mair yer ain? Are ye sae fasht
Bi a tuimness at yer hichts, that ye wad howk
This roch an routhie syle? Your life's but tasht.
You tak your leave fir aye, as gin you'd thocht
o aa you'd tint, but cuid recover nocht.

[1] Quarters of the year, seasons: with pun on 'Raith', a posher part of the town.

100

TOM HUBBARD

LICHTS

Fir the weemen at Greenham Common

Thon glow o lamps athort the muckle brig
That jynes twa continents, cuid indicate
The terget fir a bomb, that nou micht lig
Silent, but gleg fir yuise some future date.
Ay, an it waits ahent a baurbed-wire fence
Whase ugsome length fae caunles is revealed
By queans an carlines singin o their sense
o daungers that fae maist fowk are concealed.
Though camera lichts record some scenes o threat —
Lichts whaur the storm-troops chairge — or dinna yet —
Lichts whaur a macho pouer itsel asserts —
Thir lichts maun brichten mair nor they dae nou,
Or greater lichts sall at the last ensue
Owre late ti show the daurkness o oor herts.

NORTH AN SOOTH

Simmer on Sugar Loaf, winter at Arthur's Sait:
Sic contrair airts, hou cuid they win thegither,
Though wappin[1] airms streitch oot ti animate
Braw fires fir distant bens ti licht ilk ither.
While Rio hotters owre its sauns an sklents —
Bourachs an boulievards — mixter-maxter cleckins —
Oor Embro crubs aa randie elements;
Happit in haar, it nor repones nor beckons.
Some ettle mair. Hear Villa-Lobos[2] lilt
Brazil wi Bach, twinnin the hemispheres:
Sib ti thir Scots wha somehou warked their rooth
In tropics thocht incongruous wi the kilt,
Ruitin their music there . . . The unkent seers,[3]
Whan sooth caas ti the north, an north ti the sooth.

1   Vast (this line alludes to the gigantic statue of Christ on Corcovado mountain).
2   Villa-Lobos (1887-1959) — the great Brazilian composer Heitor Villa-Lobos wrote a series of nine suites entitled *Bachianas Brasileiras*, in which he fused the idioms of J.S. Bach and Brazilian folk music.
3   'The seer, the foreknower, has been displaced in a hierarchy of human beings. He requires to be replaced there.' (Hugh MacDiarmid).

SCHELLBRONN[1]

Gloamin. Fore-end o August, ten year syne.
Lythe wis the air ayont the clachan-fuit
Whaur I laid by, an leukit ti the line
o trees that daurkened fae the verra ruit.
There, at the mairch o the loan, mirk wad meet mirk:
Man's yird that maun gie owre the day's stramash,
The lift that recks na o his ilka fash,
Fir aa his blethers i the howff[2] or kirk.
Yit I that nicht saw miracles heich abune,
As reid ti crimson melled, richt braisantlie,
Purpie, then black, ti lang await the dawn.
I warsle still ti hark at whit I'd seen,
That wis ane muivement o a symphony,
An there is mair ti hear afore I'm gone.

1   Schellbronn is a village between Karlsruhe and Stuttgart.
2   A pub (also, as in Dundee, a cemetery: see Dostoyevsky's story, 'Bobok').

TWEEDDALE COORT[1]

Fir the Scottish Poetry Library an aa wha yuise it

Whan at the boddom o this auncient stracht
We stude afore the yett, an keekit throu,
We kent thon gaitherin wis nae fir us.
Upon retour, we thocht ti sclim the hicht
Ti see the nation spreid oot glorious —
A thrang o sodgers kept us fae the view.
Wis there nae walcome in this dour auld toun
For ocht but gowd an fecht? We lear the fate
o yin wha tint thaim aa, an cam this gate —
Montrose,[2] a makar — ti be dingit doun . . .
But suddent, mid o the Mile, we fin this close
o murtherous repute, whaur we feel free,
An makars win throu sturt fir fowk lik us
Wha hinna been sae near ti haurmonie.

1 Tweeddale Court in Edinburgh's Royal Mile. The Scottish Poetry
   Library, of which I am Librarian, opened here in February 1984. The
   Library is for the use of ordinary members of the public. For them —
   as for me, more than three years on — it is a place of discovery.
2 James Graham, 1st Marquis of Montrose (1612-50), poet and soldier,
   who was hanged in the Royal Mile.

TOM HUBBARD

IMPRESSIONS DU MATIN

1

The first licht i the lift,
Daurk blue ti a spreid o purpie.
The burds are liltin as the postie trauchles.
They sclim the air ti the trees i the yairds
He munts the stair
Ti the doors
In the lands.
Thon wecht he bears maks gangin up
Seem mair lik gangin doun
Ti hell, in fetters;
He's a wabbit loun
This Hero as Man of Letters.
Throu thir flaps
He shoves giros, gas bills, circulars,
Nou an then a billet-doux:
His seck gets lichter but nae his limbs.
Whitever comedies an tragedies pass throu his hauns,
He kens nor cares na: anerlie o his piece,
A cup o tea, an a fag, in the canteen.

2

The toun waukens.
Clutchin her sair heid
A wifie shoogles ti her yett, in bauchles.
She disna rich'lie ken whaur she's gaun:
The left bauchle's on the richt fuit,
The richt bauchle's on the left fuit.
Baith o thaim are apen-mou'd
As gif in wunnerment at their puir mistress.
She lats in pousie, an taks in the milk
She disna reallie need, fir aa last nicht
She got throu muckle mair uisge-beatha nor cocoa.
(Still, pousie rubs her leg an thinks ti his sel
'Ay, ay! Meeyowe! Sae aa the mair fir me!
Kent I wis on ti a guid thing wi this yin:
My previous humans werena sae indulgent.')

105

3

Fegs! Here's a frait-cairt, an drawn bi a cuddie!
Ye wadna think 'at siccan things cuid byde
In this inestimable age o mairvels
Like thon great enterprise o Cooncillor Swalgut —
Ye ken — his Videocomputerama:
Ay, sin afore the first licht i the lift
Swalgut's been coontin aa the last nicht's takkins.
Coontin, I said? Huh! Ravishin, mair like:
A bing o flesh, he leers at a bing o siller,
Glint o his ee cleiks at the glint o coin;
See him sae pufft an prood ti hae presidit
At a noctural sabbath o thae twaa
Whilk, mair nor freedom an whisky, gang thegither —
Thae deities, Mediocrity an Profit.
He rubs his paws, approvin,
As the polis van teirs skreikin past his entraunce
Ti tummle last nicht's punks oot ti first sessioun
o the Sheriff Coort. 'Thae young anes,' sae he keckles,
'Juist hinna got the stannards *we* grew up wi.'
They spend maist o their dole on his premises;
He winna spend the rates ti gie thaim a leg-up.
He damns their idleset, whilk keeps him in his.

4

The toun's asteir
Wi buses an caurs, parp-parp, nae idleset here.
Wycelie, the frait-cairt keeps nou ti the backstrachts;
Cuddie relieves himsel whaur few wad treid
An juist as weill, fir cuddie's maist prolifick.
He griens fir the meedie, whaur he cuid rowe i the sunlicht;
The fowk, bein mair evolvit, grien fir success.

5

The burds lilt nevermair in this forenuin,
But murn fir yin wha nabbit the airlie wurm,
An then in turn wis nabbit bi the pousie,
Wha slaiks his fur as's mistress taks her aspirin
'Fore faa'n t'unmak thon munsie o last nicht,
Ti cleir the bottles wi as pickle dunner
As no t'upsteir her man, wha snochers ben,
Haein sweitit a lang shift fir, weill, guess wha?
Swalgut, wha ains thon enterprise anaa.

6

It's denner-time.
The tannoys blare. An oor ti swill an blether
Or kick a baa. The rest concerns us nocht:
The verse fulfils its remit, as does postie,
Draggin himsel alang like empty seck;
The baurman claims him nou . . . forby the bookie . . .

Gin fortune froun, he'll sweir, then lauch an say:
'Ach weill, we live ti fecht anither day.'

LETTER FAE THE UNNERGRUND

Aye throu the cundies an intimmers[1] o the yird,
    Deep ablow the bings of fowk wha hae tyned aa lust,
There thrabs an auld-young bree that is eident ti skinkle
    Yont the teuch crust.

We bairge owre the supermairket flair
    Gin oor moment's dominion cuid hae nae end;
But oor faithers bade here, afore we rave oot
    Ilka close an pend.

Peel fauld efter fauld o the glaiziest bulb
    We hae growne wi the airtiest graith
In a poutherie syle — yit we'll dissolve
    In a clood o tears an daith.[2]

Ibsen telt's o the Muckle Boyg[3]
    As dour an dozent as we are nou —
A wecht ti be steired nae alang an aroun
    But unner an throu.

Howkin faur aneth the yin-wey strachts,
    Howkin fir ti fin remeid
Aneth biggins on biggins, banes on banes,
    At the spring-heid.

Lowpin back inti oor perspex palace[4]
    Ti slaik wi a tongue new-weet
The muzakked lugs an the videoed een,
    An the future ti heeze til'ts feet.

---

1   Insides (timmers — literally timbers, with suggestion of pit-props).
2   Cloud of tears and death, a reference to what can happen when the bulb (or dome) disintegrates — to what *has* happened: the poem was written *before* the Chernobyl disaster. Consider the Thatcher régime's destruction of the coal industry and its concomitant enthusiasm for nuclear power.
3   The troll which blocks the progress of the title-hero of Ibsen's *Peer Gynt* (1867): 'A good deal has been written about the symbolism of the Boyg; two of the most reasonable guesses are that he represents

"the spirit of compromise", or that he is "the ignorant and obstruct-ive lethargy of the great mass of humanity".' (Peter Watts's intro-duction to his translation of *Peer Gynt*, Penguin Books, 1966, p. 14): the bulb or onion symbolism of the previous stanza is borrowed from Act 5 of *Peer Gynt*, where the hero, now old, thinks back through each stage of his life while peeling layer after layer of an onion. Event-ually he is left with nothing.

4 This refers back to the bulb-onion-dome image: think of the average indoor shopping centre, and the 'Crystal Palace' pseudo-utopia at which Dostoyevsky's Underground Man longed to stick out his tongue.

AIBERDEEN ELEGIE

The hinmaist crackles o a twalmonth's passions —
The mockrife reid muivement as they burn ti burn nae mair —
The bing soars heich, an faas, an bleezes itsel oot,
Reekin ti nocht i the winter air.

The flicherin fraigments o your kest-oot papers —
The wark you had creatit wi your new-fund pouer —
Leuk nou at thir wizzent leaves, aince quick wi your braith an
    bluid.
The clock chaps late i the college tour.

The campus at nicht, an yoursel wi anither,
Whusperin anerlie anent buiks — a gey thochtie pair . . .
Sune you kippled — an sune sindered: her screed, wi its sudden
    skaith,
Has lang dwyned ti nocht i the winter air.

Wha gaithers aa this gear is a gaunt-like cratur —
At lowsin-time he's happit owre wi aise an stour —
He's a traivellin warkman you've never met.
The clock chaps late i the college tour.

THE RETOUR O TROILUS

Ill-thriven laund, eenou ti me sae deir,
Cauldrife an courin fae the daithlie drow:
Lang-cowpit waas, owre mony ghaists ablow;
An yit I mynd the bluid-reid wine flowed here.

Why suid my youth feel auncient as thir stanes,
Why suid my prieven virr sae faa fae me,
Why suid my een, aye vieve efter the years
o cruellest sains o fechtin, cryne fae this sicht?
Here at the burn that mirrors me throu time
I leuk upo mysel as yince I wis,
Like faither ti a son, leevin ti daid,
The past o Troy an Troilus. In this glen
I cam late ti manheid: she, the forehand
o aa the queans that ti my breist hae won,
The rare Cresseid; she, whase flichterin hairt
Felt delicat as ony timorsome mavie
That liltit owre oor heids; she, whase quick muivement
In guidin me ti a neuk, wis sib ti the con
Wha derts athort the pad, then vainishes ...
Here at the sacrit crag upon whase brou
Oor forefowk biggit the dun an steidit Troy,
We were twa glaikit bairns: the merest smitches
That an ever-twynin linn
Kests on the seg as, tentless, it hauds forrit.
Aye bydes the auld Troy fir Troilus. In this cave
A queen made her orisons, an we oor luves;
Whaur noo it's daurk, then glintit my leman's een,
Whaur noo it's foustie, then fufft her body's scent,
Whaur noo hing cobwabs, she cleikit me in her hair.

Thon wis the folly that first made me wyce,
Chynged the heich-heidit halflin wha kent aa
— Or sae he thocht — aboot the courss o the state,
The macklik policies o peace an weir,
Wha laucht at ither men whase caa ti airms
Wis ti the airms o a mere paramour:
This wis your Troilus, buirdliest chiel o the land,
The rival o the gods, an no yit twinty!
I staun the day, at the hinner-en o youth,

Amang the wrack o a kinrik an its fowk:
Ithers hae peyed mair deirlie nor mysel
Fir weivin o mishanter an mistak,
That skufft us fae oor umwhile eminence
Ti the untentit airts ayont the port:
Rickle o bleckened banes in the aise-midden
Or gruggilt beauty i the lazar-houss . . .

Cuid I but see the thristin o new life
Up throu the cleavin o the palace flair,
Ti spreid o emerant in the simmer sun —
Yit I maun leave, an come here nevermair.

But I can hear this ferlie: a deid-bell.
There's mair come back ti murn here nor mysel,
Aa wabsters, an the last o their trade in Troy,
In slaw processioun:
Yin o their feres is ti be yirdit sune.
Nane sall gang pairt o the road and then gie owre,
Nane but sall cairry the corp, or else attend it,
Ti the kirkyaird aa the wey.
                              Abune us nou
The crummlin temple floats upon the haar.

Owre mony ghaists, fir me ti gang my lane;
Owre mony ghaists, the kinrik's, an my ain.

LYRIC PRELUDE FAE 'THE DEN'

I hae kent mony a den in Fife like this
That straiggles here an there, the pads an burns
Criss-crossin contermacious-like roun hullocks
Scentit bi autumn foust; the skeleton leaves
Daunce in a souch athort the gate I've come
Or settle on the watter, an, swept on,
Brak up, like aa that dees. I pause at the brig,
Seekin stillness:
Somehou a ray has filtered throu
An lichts this corner,
This alane,
Juist me an this rouch parapet o logs:
While aa aroun, the reesle an the sapple
Mak their perpetual sang i the hauf-mirk.

TOM HUBBARD

LEEVIN HISTORIE

Fae the Gaelic o Tèarlach Coventry

The first o the Boyters cam ti Fife
Langback three hunner year.
Here nou on the Sawbath
James Boyter sits ootby,
Tentie o the towrists
Efter the service.

He's taen wi a meenister wha mynds
o the fishers.
'Let us pray for the fishermen'
Says this meenister ilka week,
An they like that fine.

Wha's this comin doun the street?
Lassies fae the Big City.
'Thirz nuthin ti dae here,
We shooda steyd in Glasgow.
Huvyi ivir seen it, auld man?
James isna fasht — 'Last nicht ma neibour's lawdie
Cam back fae Australyae.'

An Angry Young Man fae Edinburry
Wi lang hair an black claes.
He's stappt ti read the scartin owre the door:
'The Lord is my Herd,
Saxteen thirty-twa.'

'There is no God at all. I am against
Everything. And nobody understands me.'

The fisher isna fasht.
He leuks at a boat i the herbour, an this is his awnswer:
'A had a lawdie at college. A cried thon boat
"Thalassa" — the sea. He wis a braw-lik scholar,
Thon lawdie. Than he gaed ti sea i the War,
An A hinna seen him syne, leevin or deid.
Twenty year auld whan he left.'

There is nae awnswer.

113

POMPEII

The leevin enter at the lang-deid yett;
The leevin enter, but they winna byde:
Naebody bydes here nou. They'll pey their debt
o brief remembraunce o a brief aside
They leared at schuil. They hae aareadies peyed
Their tickets, an are satisfied they came.
The leevin enter, but they'll gang back hame.

They've come, juist nou, fae sic a muckle steir
o modren weys, life at a constant jolt;
The like ne'er kent sin fou twa thousan year
Whan aa within thir waas cam ti a halt:
Yit it wis thrang eneuch, this muckle vault
That yince had been a toun, an nou stauns bare;
That yince had been a toun, an is nae mair.

This is a day unlike thon weirdit day:
Sic chiels as us, we ken it's no oor last.
It's bricht atween Vesuvius an the bay
Like life itsel, an ilka day that's passed
Wi ilka day that's yit ti come, can cast
Nae mirk the nou. Why tremble fir whit waits
By the intersection o thae drumlie gates?

This is a day maist like thon weirdit day:
Sic chiels as us, they tuik their dauner here,
Blethered, slockened a drouth, nae thocht ti spae
Gin they wad see the morn; an cuid ye speir
The warkin fowk, they'd hae nae cause ti fear
But that they'd sweit an trauchle, still an on,
Their buiths still thrang wi wasters whan they'd gone.

An there were luvers here, whase daffin words
Birled on the souch that straiks us luvers nou;
Their sang taen up by foontains an by burds,
Gin aa that muives had come this wey ti woo.
But somethin muived ayont, an fae the mou
o the muckle ben, this gentle land itsel
Spewed furth the horrors o a crimson hell.

114

Sall we wha visit here withoot a thocht
o bein yirdit sae untimeous-like,
Sall we traverse thir doolie strachts, an nocht
Depairt at last ayont the city's dyke
Uncheenged? Sall we again mak sic a fyke
o aa the fatuous wheegees o oor time?
The past's disaster is the future's crime.

This scene wis nature's wark, it wisna man's,
But nature's been oot-rivalled some while back:
Hiroshima — Nagasaki — aa oor plans
Ti prieve there's nane like us wha hae the knack.
Vesuvius — huh! See whit it failed ti wrack —
Thir fancy pentins an siclike were safe.
Gie us the chaunce, an we'll ding doun the lave!

Fir siccarlie we wadna leave ahent
Ane single objeck that cuid tell the tale —
Muild o a dug richt fae his maister rent,
Muild o a quean wha bields ti nae avail.
Naethin ti tell — ti naebody! Wad the wale
o fowk still leevin, gin that ony be,
Feel sae uptaen bi archaeology?

There's desolation aither side o the waa.
Nae faur fae here, there's puirtith an there's skaith.
The leevin tak their gate, fir they've see aa
Pompeii can offer. Yit a hint o braith
Can still be felt fae this dreich neuk o daith:
Look there, i the airt o the ben, an mark that faun
Dauncin as gin he were alive. Daunce on!

ASRAEL

(In memoriam Lidice, June 1942:
Asrael is the Angel o Daith)

Ablow a summer lift like this;
Ootby the vennels o the toun;
Ayont the remains o the tummilt waa
        They fell:
Fae runkled carl ti halflin loun,
Aa taen i the grup o Asrael.

They'd juist come trauchlin owre the loan,
Bleck as the deevils fae their pit;
But no aneth cuid they hae kent
        Sic hell:
Their last shift dune, there bydit yit
A shift as thrang fir Asrael.

The crummlin banes, the roustit bress:
Sae gang the coalliers an their baun.
Nae maisic-chiel alive ti mak
        Their knell,
Binna some eldritch mane wis blawn
Bi the bougil o dreid Asrael.

Fae ilka clachan roun the yird,
The corranachs fir Lidice
In never-dwynin memory
        Maun mell:
Aye wairnin whan new tyranny
Commands the wark o Asrael.

BAIRNRHYME

Ye'll hae ti tak tent o thir carlin-wifes
    As on their brumes they lowp,
Won efter bi a snirtin deil
    That shaks his forkie dowp.

Wi scales o blinterin cramasie
    His corpus weegles an twynes;
His horns are sherp, an his lang, lang tongue
    Unkirls ti kittle queans.

Nou breenges furth a hairy gyre,
    That's weirin a fause-face —
A peerie kelpie souchs an sabs,
    Owre late to jouk his chase . . .

Ti oorie whussle an dunnerin gong,
    Bobs a huidit rickle o banes;
Are ye feart? — The hale caper's in fancie-duds,
    An the actors are aa weans.

VARIATIOUN ON ANE POPULAR THEME

Aa o a sudden
A great mealie-pudden
Cam fleein throu the air:
Yin thocht it wis the verra bouk o Scotlan
The efterbirth o the warld's beginnin,
That wadna laund an rot, or the warld's end.
Anither wad hae
It wis nae mair nor a pudden
That had sae birkilie won free o the chip shop.

The first cheered it on:
Fair flochtie he wis, he fidgit in feerach at sic a fine ferlie;
The pudden tuik tent o this — its morale wis fair boostit —
An breengin on at fou dreel, it passed ayont lochans an knowes.
Its prood partisan wis pechin, he cuidna keep up wi't,
An had ti gie owre,
Greetin wi joy
That he'd gien sic a heeze ti . . . weill, whitever it wis.

The saicont was thrawn.
He wad hae nane o't.
He shuik his pow (an his neive) as the pudden upby
Becam nae mair nor a peerie smitch i the lift.
He mairched richt up ti the first
An delivered himsel o his scunner,
Ti wit:
That there wis nae excaise fir the thing's behaviour;
Nae maitter whit kinna pudden it wis —
Reid, white or bleck —
It wis a bleck affront
Nae ti be tholed: they suid hae sent fir the polis.
Suppose it set ane precedent,
An its brithers up an cried:
'Suppers unite! Ye've naethin ti tyne but yer batters!'
Juist think o't — haddocks, fish-cakes, hamburgers, links
An even the tatties, the umwhile moderates —
Aa gangin camsteerie,
An formin a squadron o subversive sunkets
Ti follae thon pudden. An think o the effect
On the warld's air traffic, and, as the eftercast,

118

On business confidence. Aa governments
Wad siccarlie collapse.
                — Sic whigmaleeries
Were nae fir the like o us, lat alane puddens!

The first chiel laucht.
He'd heard it aa afore.
He simplie gied a souch, as gin he wunnert
Gif the pudden wad, in time, come back ti him,
Bearin the gree:
Or (doolie thocht) gif it be dingit doun,
Ti lig an muilder i the wulderness.

Ignorin his wersh an fushionless companion
He laucht an grat in turn, an cried ti the lift:
'Whane'er sall I again behaud your face,
o my great chieftain o the pudden race?'

THE DAITH O SIMON TUBAKWE

Fir three voices

FIRST VOICE

Even yit ye'll mynd
o thon 'deep' boy that wis here — Simon Tubakwe;
Even yit ye'll mynd
Hou birkie he wis, yit caum; yin fir a blether,
But ye had ti get him stertit. Even yit
Ye'll mynd hou unbekent he cam amang us,
An sleed awa withoot a cheip.
                     Here's news.
Dinna speir hou A got it, but gin fir the maist pairt
He wis sic a quaitlike lawdie — A'll tell ye this, neib,
The word is that oor Simon's quait fir aye,
An the word is that he's left some stishie ahent him.

SECONT VOICE

Simon Tubakwe — born at the slauchter o Sherpeville:
Simon Tubakwe — growin on histie grun:
Simon Tubakwe — his bairnspiel passed in a blink:
Simon Tubakwe — skrimp wis the buik-leir they gied him.

A core o halflins kickin a baw roun the tounship
Then kickin ilk ither, forby, an ony puir sowl
That's passin their wey — shair, Simon wad jyne in
Sae's no ti be thocht a jessie. Aince he ettled
Ti brak up a gullie-fecht, but he'd nae chaunce,
An wis gey near steikit hissel. 'Simple Simon' they cried him.

Simon Tubakwe — aince backart an blate wi the lassies
Syne fand whaur there's nae precaution, there's consequence:
Simon Tubakwe — husband, an faither o fower,
That's twa still leevin, an scartin fir whit they can get.

His Beth wis nanny ti a pair o white bairns,
Wha'd coorie up close ti her, while there wis time.

120

TOM HUBBARD

FIRST VOICE

Even yit ye'll mynd, neib,
Hou we'd sit aroun playin at cairds, or, feelin forfochen,
An no juist fain fir ti crack, licht up an gruntle.
Simon, though,
Wad lean oot fae's bunk,
An his speik wad drift uncanny throu the seelance:

THRID VOICE

'Here we are, stowed inti raws o stany pallets,
Fir a pickle oors o sloom, an oor weemenfowk
Alane theirsels — or sae we howp – nicht efter nicht.
Nicht? It's aa nicht fir us — sae mirk, sae snell,
We quak an stivven richt throu yokin-time
Until — dounby — we're fasht the contrair gate,
As we sweit an birsle i the hettest hell
Yont onythin Auld Hornie cuid devise.
That's us, aye nabbed at flistin o extremes,
As the walth we howk doun there
Raxes the bosses' pouer, thirls us the mair,
An we canna kep t'oorsels some twa-three grains
Ti adorn oor wives, or ti amuse oor weans.'

FIRST VOICE

Efter this
We were mair in wi Simon, an him wi us.
Ye'll mynd thon nicht at the bevvie
Whan he teuk a hantle mair nor the lave o's;
Then back wi's doun the brae, he keckled sae glorious
That his teeth daunced in his mou; he stauchered awa fae's,
That we had ti haud him in, fir fear o the caurs
An the polis forby . . . thon nicht, he wis fair gaun his dinger.

Ye'll mynd o this, nou an the days ti be,
Whan the fecht is dune, an the kintra's fowk are free.

SECONT VOICE

Simon Tubakwe's vainisht, wha kens whaur,
Fae's wife, his bairns, his mates, vainisht fir aye;
Simon Tubakwe's spreit canna lay by
An wauners aa-roads nou.
                    The legends hae
That he caucht the tow as yaishal on that day,
Gaed ben the road ti's stint, fair gone in thocht.
Some say an unco haar thickened aroun him,
As gin he saw sic things he suidna see,
As throu this gaitherin driffle he wad peer
At sleekit chiels in buirdrooms. aye concludin
The weirds o fowk like him; at the posh shops
o London or New York, whaur blinterin jewels
Proclaim the fancie freedoms o the Wast.
Aiblins in deepest vaults he saw thir ingots
That coff the whups, guns, bombs, that threit his kin ...

He wis happit bi the reek, an seen nae mair,
Yit some tell o a rummlin o the yird
As gin his forefowk had been summoned there,
In drumlie raws, ti caa him ti tak tent:
His faither, runchit whan a rance gied wey,
An's faither's faither, the hale o thaim gaun back
Lang or the shank wis sunk ... They glowered at Simon,
But spak nae word.
                    There wis an awesome bouff,
An inklin that the ruif wad faa, an yit
It cam fae faur ablow: a crack, a cleavin,
An a blaelik vapour gurgit ti the face,
Swurled, an dissolved
Ti kythe the Forehand Mither, wyce an braw,
Wha is the verra wame an grave o's aa.

She pyntit lang at Simon. Then he fand
His future set, ti haud wi her command.

FIRST VOICE

Simon Tubakwe — ay, A've thocht masel
That he teuk some saicret cundie, an got oot,

122

Syne jouked up North.
                    Forby, A'll tell ye this, neib,
Simon Tubakwe'll gang doun nae mair
I the pit, or at the wuddie,
Ti faa bi's craig an shoogle i the air,
Or breenged bi the polis fae their heichest flair . . .
An we'll mynd o him, an aa that had ti dee,
Whan oor fecht is dune, an oor kintra's fowk are free.

THE FORTH BRIG[1]

Here, you first leukit on a delicat strenth;
This spaed your rax o tension an compression.
You were owre young, thon time, fir sic a lesson:
Syne you're aye back an forrit aa its lenth.

Here, whit's been pit thegither fae tube an girder
Seems as it growes itsel: the warkin-oot,
Sae cuil an siccar on the maister-plan,
Forekent aa threits fae wedder, an maist fae man.
Yit the wark o the makar maks muckle mair nor him,
As a chiel is less nor aa his future kin;
Nane o this brig's maist subtle ingineers
Conceived whit it wad jyne in efteryears:
Laddie an lassie convergin on the toun
Fae different airts: the brig can tak thaim baith
Ti college, or wark, or bed (o its monie functions
The brig's a pandar); then there's a waelik mither
Wha crosses fir a day wi her pairtit bairn;
Delegates vizzy their papers fir a collogue
That winna thole the wastit walth o the warld:
Their day's resolve sall aiblins heeze the fowk
o the middens o Dhaka, Quito or the Cape . . .
Yit aa their ettlins, aa their verra sels,
Bi a slicht unrivettin, cuid tummle doun,
Dissolve ti nocht as they had aye been nocht —
But that this brig bydes on omnipotent,
Mair manlik god nor slidderie machine,
Thrabbin in ilka thow, condie an tishie.
It mynds us o the original three-man corpus,[2]
Thon cantilever in its human form
o airms an bodilie wecht: the chiel i the middle
Wis a Japanee — true meetin o Wast an East
Forby the obvious meetin o North an Sooth.

You leuk upon an image o the brig
An faur ablow, an image o yoursel
In shades o grey, fae some box-camera;
Een refleck een, owre thirty year an mair.
You'd think he cuid be aither o your lawdies
The wey that bairn leuks back, uncannylik,

124

Yit you're the son ti this your umwhile sel
Whase picter fixes him in innocence;
He's biggit a brig that spans thir three decades
Ti rax your present shore: your organism
Has growne fae his. An yit, he'll no cuid ken
Whit he's brocht you ti ... that you, tae, hae brigs tae big.

You tae hae brigs ti big. Say there's twa fowk
Unkent the ane ti the ither, you come atween,
Bring thaim thegither wi a word or a buik.
Mair words, mair buiks, cuid follae fae their meetin,
But whit's essential is a human link
Whan the makkins o man can aftentimes unmak him.
You an your mates sall jyne the word ti the word,
An ilkane's darg sall gar the word become flesh
— *Gin that's a ferlie brig can cairry itsel*
Throu the crosswins fae Rosyth[3] an fae Torness.[4]

1 During his infancy the author lived in Inverkeithing and his earliest memory is of the Forth Railway Bridge.
2 The engineers of the Forth Railway Bridge, John Fowler and Benjamin Baker, demonstrated the cantilever principle by means of a human diagram involving two of their workmen and a junior engineer, Kaichi Watanabe, from Japan.
3 Site of the naval dockyard, north-west of the Bridges, where nuclear submarines are refitted. The incidence of child leukaemia is above average in the surrounding area.
4 Site of a new nuclear power station, east of Edinburgh.

125

SELECT GLOSSARY

aa all
aareadies already
aa-roads everywhere
ablow below
abune above
agin against
ahent, ahint behind
aiblins perhaps
aik oak
aince once
ains owns
airlie early
airt place, direction; art
airtiest cleverest
aise ash
aislerwark masonry
aizles embers
alist alive, aware
alsweill as well, also
anent about
anerlie only
aneth underneath
antrin odd
asteir astir
athort across, all over
aucht owning
Auld Hornie the Devil
aumers embers
auncient ancient
aybiding lasting
aye always; yes
ayont behind

baa ball
bab baby
backart backward
backstrachts backstreets
bairge barge
bairn child
bairnheid childhood
bairnlie childlike
bairnrhyme poem for children
bairnspiel childhood play
bale wail
ballant ballad
banes bones; dominoes
bauchles old worn-out shoes;
    feeble person
bauks beams

baun band
bawbees coins of little value
beal suffering, pain
bear the gree win the prize,
    victorious
beglaumered bewitched
begunked deceived
beldame old woman, ancestress
belly-rives feasts
ben mountain; past, through,
    within
benmaist innermost
bents coarse grass growing by the
    seashore
bentset determined
bevvie-hous pub
bields shelters
big build
biggin building
bing heap, pile
binna except
birkie lively, spirited
birl whirl, dance, turn around
birsle scorch
blate diffident, inhibited
blaw blow
blawflums empty people
blawthir wet weather
bleachin striking, beating
bleezes blazes
blink moment, instant
blinkers eyelashes
blinterin glimmering, glittering
bluid blood
bockin retching
bore hole
bouff loud, dull sound, heard
    when a mine roof cracks
bougil bugle, trumpet
bouk bulk
bourachs confused heaps, hovels,
    shanties
brae-hag overhanging bank of a
    stream
braisantlie boldly
braith breath
brak break
brashy delicate, weak
brawlik fine

127

bree liquid, juice, spirit
breeks skirts
breenges charges, rushes forward carelessly
brocht brought
broukit tear-stained
bruckle brittle
brunties blacksmiths
buffs lungs
buirdlie magnificent
buiths shops
bummers bosses
bummles bees
burd bird
burn stream, brook
buttery butterfly
bux rise
byde wait, stay, remain
bykes swarms
byordinar extraordinary

caa'tee echo
cage lift
caird card, paper
cairn pile of stones, monument, memorial
cairry carry
camshach distorted, crooked, bent
camsteerie unruly, wild
canally rough crew, mob
cannas canvas
caper carry-on
car left
carl man
carlin-wifes witches
carry sky
catogle the great horned owl
cauldrid chilling, cold
caurs cars
certes assuredly
chappin knocking
chawed jealous
cheatrie fraudulent, deceitful
cheenge change
chiel person, fellow
chimley hearth
chitter shiver, tremble
chock choke
chore steal
chow chew
clachan village
claes clothes

clapper bell, also associated with lepers
clarkin writing
clatters rumours
cleckin breeding, families; chatter
cleiks clutches, seizes
clerty dirty, muddy
cley-davies workers, navvies
Clootie the Devil
close alley
cluddy cloudy
coalliers colliers, miners
coff buy
collogue conference
con squirrel
concludin deciding
contermacious-like perversely, waywardly
contrair gate opposite way
coonterpynt counterpoint
corby raven
core company, group
corn grain
corpus living body
corranachs laments, dirges
corrieneuchins intimate conversations
cosh comfortably content
coup rubbish dump
cour crouch, cower
cowdie vein
crack talk, chat
crag neck
craif crave
craikin croaking
cramasie red, crimson
crambo-clink doggerel
cran-reuch hoar-frost
cratur creature
crubs curbs
crumpie crisp, crumbly
crunklin crackling
cryne shrink, withdraw
cuddie horse
cuil cool
cundie/cundy tunnel, passage
cushey-doos wild pigeons
cuttlin cuddling

daffin playful
dag half-mist, half-rain
daiss ledge on a hillside, cliff

dander temper
darg day's work, task
datchie hidden, furtive
daughle struggle
daunder saunter
dautins caresses
Dauvit David
daw dawn
day-sky twilight
dee die
deek see (Romany)
deid-bell passing bell
deid licht useless person
deil devil
dell delve, dig; goal
delvin digging
denner-time lunch-time
dern secret, obscure, occult
deuklin duckling
dey father, grandfather
dicht clean, wipe
dingit doun struck down
dings idiots
dinnle vibrate, quiver
dint blow
dirgie lament; funereal
dirled turned, reverberated
dobbie stupid person
dook dive, swim
dool sadness
dorbie mason
douce quiet, calm, even-
    tempered
dounby down there
dounhauden kept down,
    oppressed
dour unsmiling, stubborn
dover owre doze, sleep lightly
dowp backside
dozent stupified, dazed
drap drop
dree endure, suffer
dreed dread
dreel energy, speed
dreich miserable
driffle drizzle
droich dwarf
drouth thirst, dryness
drow drizzle
drumlie troubled
drummlin beating
dub pool, pond, puddle
dug dog

duke duck
dumfounert amazed, bewildered
dun fort, citadel
dunner loud noise, clatter
dwam trance
dwyne/dwine fade, decline
dyke wall

earn eagle
easins horizon
ebb mixed
een eyes
eenou even now
efter after
eftercast effect, consequences
eident eager, diligent
eild old age
eldritch weird, unearthly
Embro Edinburgh
emerant emerald
eneuch, aneuch enough
enscrievit inscribed
erd earth
etin giant
etion descent, stock
ettle at aim, attempt

faa fall
faa'n ti falling to, starting to
facks facts
faemin foaming
faes foes
fag-dout cigarette end
faik tuck
fair-avised fair-complexioned
fair gaun his dinger behaving in a
    passionate, vigorous manner
fairy-rades fairy expeditions
faither father
fame foam
fancie-duds fancy dress
fang talon
fangit-feard disordered with fear
fank noose
fankle tangle
farrant fashioned
fasht angry, troubled
fauld fold
faur far
fause-face mask
fause-face o blaws oxygen mask
fawn fondle
feart frightened

129

fecht fight
feel understand
feerach state of agitation, excitement
feld happened
fell skin, bark, surface
fendie healthy
fendless without energy
feres mates, comrades
ferlie strange sight, marvel; fairy
ferter coffin
fesh up bring up, rear
fests festivals
fettlin settling
fidgit move restlessly
fie fated to die
fikyness fussiness
finger-horns finger-nails
fire-flauchts shooting stars
first-fit first New Year visitor
fisslin whispering
flair floor
flaucht flame; lock of hair
flecked dappled
flee fly
fleerin ogling
flicherin fluttering, flickering
flistit exploded
flochtie excitable
flooer flower
foond foundation, basis
forby as well as
fore-end beginning
fore-fowk ancestors
fore-gaitherin meeting
forekent foreknew
forenent in front of
forenuin forenoon, morning
forfochen exhausted
forrit forward
fou full
fou-breekit pompous
fouk/fowk people
foust mould
fower-weys crossroads
frait-cairt fruit-cart
fremmit strange, foreign
fufft blew gently, wafted
fume perfume
fums useless, slovenly women
fund found

furligig a toy windmill that spins on a stick
furmer-rane chisel-refrain
furth forth
fushionless insipid, spiritless
futret ferret

gabbit gossipy
gaed went
gaff laugh
gairn garden
gaitherin gathering, collecting
gale a state of spiritual uplift
gang go
gangrel vagrant
gars forces, causes, makes
gate road, way
gecks at scorns, disdains
geegaw a trifle
gentie neat, graceful, genteel
gey very
ghaist ghost
ghaist-coals pieces of coal that burn white, retaining their shape; supernatural fires
gib gibe
gie give
gill-ha a house where workmen live during a job; a lonely house
gilravage orgy
gin/gif if
gird encircle, enclose; iron hoop
girned caught in a snare; trapped
glaikit foolish, thoughtless
glaiziest most glazy, shiny, glittering
glamourous magic
glaured muddy
gledness gladness
gleg read
gliff sensation
glint glance
gloamin-shot a twilight interval which workmen within doors take before using lights
gloff a change of temperature
glorious inebriated, glorious with drink
glower gaze, stare, scowl
gloze a delusion
glumpy sour looking
glumshy sulky

130

glunt pout
goam greet, recognise
goavin staring
gove a steady look with uplifted
 face
gowd gold
gowd and fecht money and
 militarism
gowk fool, idiot
gowpinfu o aathin a medley
 of absurdities
graips grapes
graith equipment, machinery
grattin crying
gree triumph, victory; fame
greement harmony
green young, fresh, vital; grassy
 ground
greenin desire
greeshough/greeshoch red, flame-
 less fire, glowing fire; fervour
greet cry
gress grass
griens yearns
grousin coldness, shiver
grue are revolted by
gruggilt disfigured
grugous ugly
grumly grim, fault-finding
grumshach down in the mouth
grun ground
grungy grudge
gudged gouged
guess riddle, enigma
guff smell
guid fowk fairies
gullie-fecht fight with knives
gurgit surged
gut-scrapers fiddlers
gyre monster
gyte daft

haar mist
haar-fou howe plain full of
 mist
haet atom
hailsit hailed
hained enclosed
hairst-time harvest-time
hale, hail whole; health
halflin adolescent
halie holy
halla hollow

halta-dance shimmering air,
 haze
hame home
hameward native
hant haunt
hap cover
happity lame
hark at listen to
harled dragged
harns brains; linen
hash spoil, mess
haud hold
hauds forrit continues
hauf half
hauf-mirk semi-darkness
haun hand
haun-makars workers
hausin embracing
hecht promise
heeze raise, encourage
heich high
heich-heidit arrogant
heid head
heid-makars intellectuals
heligoleeries frolicsome tricks
herrial a costly expenditure
hert/hairt heart; deer
hert-sair heart-sore
hiddlie hidden
high-heidyin person in authority
hine harbour
hinmaist last, final
hinnerly finally, at the end
hinnykamed honeycombed
histie dry, infertile
hochmagandy fornication
hodden gray grey cloth
honey-month honeymoon
hoolet owl
hotters seethes
houff/howff haunt, hang-out,
 sanctuary
howk dig, extricate, mine
howp hope
huddert huddled
huidit hooded
huillin hulling, husking
humlock hemlock
hunner hundred
hured whored
hurkles hips
hurl wheel, bowl along

131

ice-dirk icicle
idleset idleness
ilk each, every
ilkane each one
ill-less innocent, unsullied
ill-set evilly disposed
ill-thriven under grown, under
     developed
inby within
incaa invoke, pray
inch small island
infar cake cake broken over
     bride's head on crossing
     threshold of new home
ingle fire
ingle-cheek fireside
ither other

jalouse suppose, imagine
jammies pyjamas
jamp past tense of 'jump' in
     Dysart
jaup splash, dash
jaur jar
jessie sissy
jink dodge, elude
jo joy
jouk avoid, ignore
jowin ringing, rising
jummle jumble
jyne join

kame comb
keckles cackles
keek peep, glance
keist desire, eroticism
kelpie water-sprite
kemp hero
kenspeckle everyday
kest cast
kinrik kingdom
kintra country
kippled coupled
kirkyaird churchyard
kirstal crystal
kissins cousins
kittle excite
kittlins kittens
knockin-mell mallet for beat-
     ing the hulls off barley,
     or linen after bleaching
knowes knolls

kythin revelation, maifest-
     ation; rising
kyte belly

lade load
laich low
laid-aff made redundant
lair lore
laird lord
lamar amber
lands tenements
lane own, lone; the smooth im-
     perceptible flow in a river
lang back long ago
lang-cowpit long-ruined
laster later
lat let
lauch laugh
lave rest, remainder
lawdie/laud laddie, lad
lazar-houss leper hospital
leamin glowing
leevin living
leid language; folk, nation
leir learn
leirichie-larachie mutual whispering
leman lover
leuk look
licht light
lie-by mistress
lift sky
lig lie
lilt sing
limmer loose woman
links sandy, grass-covered ground
     near the sea; sausages
lippen count on
lipperheid leperhood
loan country track; paddock
lochans small lakes
locks hair
loof palm, paw
lourdy heavy
lowe flame
lowp jump, leap
lowsed rescued, loosened
lowsin-time end of working day
lugs ears
luve-bairn bastard, illegitimate
     child
lyke corpse
lytach unknown speech
lythe graceful, gentle, serene

132

macklik suitable
mairch boundary
mairt ox or cow fattened for
    slaughter
maise ripen, mature
maist most
mait meat
makar poet, artist, creator,
    'maker'
makkins makings
mak repone respond
man-broued having hair growing
    between the eyebrows
mane moan, complain
mang among
mauch might
mauk maggot
maumie luscious, ripe
maun must
mavie mavis, song thrush
may virgin
mealie-pudden sausage-shaped
    pudding of oatmeal and fat,
    with seasoning
meedie/meadie meadow
meid expression
meith clue
mell mingle, mix, come together
meltie-bow mystic figure on a
    herd-boy's club to protect
    cows from hurt if struck on
    side
mense sense
merrit married
messages provisions
middens slums
mirk darkness
misdoots suspicions
mishanter misfortune, disaster
mixter-maxter mixed, motley
moch moth
mochie damp
mockrife scornful, mocking
monie many
mool grave earth
mortifundit cold as death
mou mouth
mou-frauchty delicious
moup graze
mowred mocked
muckle great, big
muilder moulder
muivement movement

muller frame
mums mutters, mumbles
munsie mess
murlin crumbling
murn mourn
musardrie poetry
mynd remember, remind;
    memory

naig nag
naitral natural, normal
nane none
neb nose, beak
neb-hairs nose-hairs
neib mate, pal
neuk corner, place
nickerin neighing
nieve fist
nits lice
nixt next
no not
nocht nothing
nor than
northren northern

ony any
oor hour
oorie eerie
oot-by outside, beyond
open-mou'd open-mouthed
or before; till
orra-fowk beggars, tramps
owre over
owregien given up
owretap overcome

pad path
pairt part
pallets hard, mean beds
pandar go-between
pan loaf affected form of
    speaking
paramour lover
park field, meadow
pauchlin thieving
pauchtie arrogant
pechin puffing, panting, gasping
peen pin
pee-the-beds dandelions
pegs legs
pend arch
pensefu thoughtful, meditative
pent paint

pentins paintings
perlins lacework
Picht Pict
pickle little, few
pillae pillow
pinkin bespotting, dripping
pished urinated
pizen poison
pizzel penis
plaitit plaited
plantins seedlings
pliskies pieces of mischief,
    tricks
ploy fun
polis police
polls death heads
pore poke
port gate
pouer, pooer power
poutherie powdery
pox disease
prieve prove
propone propose
puirtith poverty
purpie purple
pyked picked
pynt point

quairs books, literary works
quaitlik quiet-like
quean/quine young girl
quickenin fermenting

rade rode
rakin searching (a plate),
    poking
rammies scuffles
rance pit prop
randie wild, reckless, randy
rare beautiful, magnificent,
    rare
raukin a nail scratching
rave tore
raws rows
rax strain, stretch, reach,
    extend
reek smoke, smell, vapour
reenge range
reesle rustle
reid/rid red
remeid remedy
repones replies, responds
resurrectors body snatchers

retour return
rib-bane a reversal of creation
rich'lie rightly
rickle o banes skeleton
rigadoon a lively dance on grass
    at a wedding
rin tide
rinkt ringed
rither rudder
riven torn
roch rough
rods roads
rooth abundance
roun round
roustit rusted
rowe roll
ruckle death rattle
rudgin fermenting
ruit root
rummlin rumbling
runchit crushed
rung stick
runkled wrinkled
runt ill-natured person; old
    tree-stump

sabs sobs
sacrit sacred
saicont second
sain scene; blessing, bless
sair sore
sairie miserable
sairs serves
saison season
sal/sall shall
sang song
sapple bubbling, of water
sapsy effeminate
sark woman's shift
saun-screenged sand-scoured
saunt saint
saut salt
saw sow
Sawbath Sabbath
scairy reflection
scartin inscription
scauds scalds, burns
scaum red glow in the sky
schuil school
sclim climb
scratchers beds
screed letter, speech, verse
scrieve write

134

scrimpitly scantily, barely
scrufft layered
scrunt stunted person
scunner disgust
sea-souch sound of the tides
seck sack
second-hoose afternoon drinking
    session
seelance silence
seg sedge
sel self
selks seals
shair sure
shank shaft
shear reap
shoogle wobble, shuffle
shorin threatening
shuggarie willies young brown-
    feathered gulls
shune shoes
shut-oots keeping a blank
    scoreline
sib ti like
siccan such
siccar secure, safe
siccarlie surely
sidelins sideways
siller silver; money
simmer summer
sin since
sindered separated
sinsyne since then
skailt spilled
skaith trouble, hurt
skelfs splinters; shelves
skelp strike, smack
skerr reef, ridge
skimmers shimmers
skinkle sparkle, gleam
skirlin sound of bagpipes;
    screaming
skite slip
sklent slope, squint
skole toast
skreikin screeching
skrimp scanty
skufft struck
slaiks licks
sleed awa went away quietly
sleekit smooth, sly, bland
sleenged slinked
slevers spittles, mouth waters
slidderie insecure, shaky

slittered messed up
slockened quenched
sloom unsettled sleep
smaaer smaller
smeddum spirit, energy
smeek smoke
smirlin sneering with a laugh
smitches specks
snell cold, biting, sharp
snirtin snorting
snochers snores
snork snort
snowk sniff; prowl
sooks sucks
soomed swam
soor ploom sour plum
sorry sorrow
souch sigh, breeze
souterin cobbling
sowl soul
spae foretell, prophesy
spalterin splashing through
    water
Specials old nickname for
    physically and mentally
    handicapped children
speendrift seaspray
speir ask, enquire
speirit/speerit spirit
spent exhausted, used up
spielin play
spinners spirals upward
spinnie spindle
spirlie slender
spout spring
squeebs fireworks
stanes stones
stannards standards
stappt stopped
stauchered staggered
staun stand
staur/starn star
staur-keeper astronomer
stecht stuffed
steid site, settlement
steikit stabbed
steired stirred
stentit appointed
stentless limitless
stents dues
steyd stayed
stint place of work
stishie fuss

135

stivven go numb, stiffen
stoodit studded
stookie plaster cast
stoor dust
store Co-op
stotterin staggering
stouns pangs, thrills
strachts streets
straik stroke, streak
stramash uproar
streamoury having streams of
    light from the Aurora
    Borealis
strind race
strummin murmuring noise
sturt conflict
suid should
suithfast true, faithful
sunkets titbits
swaw wave
sweek betrayal
sweirtie indolence
swirds swords
syle soil
syne then
syver roadside drain, gutter

taem empty
taen wi likes
taigled entangled
tak tent be conscious of, listen
    to, beware
tap-fus distaff-fuls
tappit crested
tapsilteerie upside-down
tasht stained, blemished
tatties potatoes
teirs tears
telt's told us
tent care
tentie watchful
teuch tough
tentie watchful
teuch tough
than then
thegither together
thir these/their
thirl bind; thrill
thochtie serious-minded
thole put up with
thonder there
thow muscle, sinew
thowless lack of spirit

thrabbin throbbing
thraim endure
thrain refrain
thrang busy
thrang o sodgers busy crowd of
    soldiers
thrappled poured down the
    throat
thrawn dour, stubborn, wry
threap argument, case
thrissel thistle
thrummlin throbbing
ticks moments
tid time, season, mood
timorsome timid
tint lost
tirran tyrant
tishie tissue
tod fox
tour tower
tousie-heidit wild-haired
tow cage in a mine shaft
towrists tourists
tozy half-drunk, tipsy
traikin wandering
traivellin travelling, itinerant
trauchle struggle exhaustedly
tryst meeting
tummilt tumbled
tumshie turnip
tursed trussed
twalmonth year
twine twist
twynin twisting, turning
tyaaved struggled
tyne lose

ugsome ugly, nauseating
Uisge-beatha (Gaelic) whisky
umwhile former
unbekent unobserved, unnoticed
unco altered so as to be un-
    known, strange
unkent unknown
unkirls uncurls
unskaithed unharmed
unsocht unasked
unstrauchtened not laid out for
    burial
untentit neglected
untimeous-like prematurely
upby up there
upo upon

upsteir upstir, wake up
uptaen uptaken, pre-occupied
ure misty heat

vaudie impressive
vauntin showing off
veem spiritual uplift
vennels narrow alleys or lanes between houses
venterer one who looks for things driven ashore by wind or tide
verra very
vieve bright, clear
virr vigour, energy, force
vizzy examine, study

waas walls
wabbit exhausted
wabsters weavers; spiders
wad would
wae woe
wae-lik sad-looking
waffie wandering
waffin waving
waggity-wa an unencased pendulum clock
waik weak
wale selection, choice, pick
walth wealth
wame womb
wanchancy unfortunate
wappin huge, vast
waps wasps
wark work
warld world
warsle struggle
wasters idlers
watchy watchman
watter water
wattergaw rainbow; fragment of a rainbow seen in the east as a sign of bad weather
waukrife wakeful, awake
waun interweave, plait
waykennin knowing the way
weans children
wecht weight
wedder weather
weegles wiggles
weill well
weir/waur war
weird fate, doom

weirin wearing
wersh dull, bitter, humdrum, harsh, sour
wey way
whaur where
wheechs speeds
wheegees whims, geegaws, trivialities
wheepler whistle
whigmaleeries whims, fancy notions
whilk which
whoorle a small wheel
whurin whoring
whussle whistle
wichter stronger
widdie/wuddie gallows
win/ween wind
winchins courtships
wind-waved like a plant having its stem whirled about by the wind, loosening earth
winna will not
winnock window
wirricow demon
wizzent dried up, shrivelled, shrunken
wrack destruction, ruin
wraitten written
writ text
wrocht made, worked
wuid wood
wulderness wilderness
wunner/winder wonder
wycelie wisely

yaised used
yammer cry out
yett gate
yin one
yince once
yin-wey one-way
yird/yirth earth
yirdit buried
yokin-time time to start work
yont beyond